WAC BUNKO

# 狂った隣国

## 金正恩・北朝鮮の真実

西岡 力

WAC

# はじめに――金正恩・北朝鮮の真実を直視せよ!

北朝鮮、そして韓国で今、何が起きているのかが分かっていない――。新聞・テレビの韓国・北朝鮮報道に接しながら私はずっと、そう感じている。その一番の理由は報じるべきファクト(真実)が報じられていないケースがあまりに多いのだ。

多くの日本人に真実を伝えたいと考え、私は月刊誌『W i L L』で二〇一七年八月号から「月報　朝鮮半島」という連載を持っている。そこで、本書1章で書いた金正恩《キムジョンウン》の女性関係、4章で書いたウクライナ戦争直前の北朝鮮、ロシア、中国首脳の台湾侵略密約をはじめとする多くのスクープ記事を書いてきた。また、日韓歴史認識問題の現状と解決策、拉致問題が現在、最後の勝負の時を迎えていることなど、大手メディアに出てくる専門家らが論じない私独自の議論も多数書いた。本書は最近三年ほどの連載をベースに新情報を書き加えて一冊にまとめたものだ。

多くの読者にとって初めて接する内容が満載なはずだ。手前味噌を許してもらうなら、これを読まずして韓国・北朝鮮を論ずるなかれと言いたい。


たとえば、本書5章で詳しく書いたが、二〇一八年十二月に起きた韓国海軍イージス艦による自衛隊機への火器管制レーダー照射事件に関するスクープをぜひ読んでほしい。問題の本質は日本の排他的経済水域まで入ってきた北朝鮮の小さな木造船を「救助」するために、なぜイージス艦が出動したのか、だ。その問いに答える鍵は、乗っていた四人の正体だ。韓国・文在寅《ムンジェイン》政権（当時）は四人を三日後、極秘裏に北朝鮮に引き渡してしまった。

本来なら、まず病院で治療をした後、軍と情報機関による合同調査がなされ、北朝鮮に戻りたいという本人の意志がきちんと確認された後に送還されるはずだが、二泊三日ではそれは不可能だ。

私は事件直後に韓国に入り、韓国海軍、西側情報関係者、北朝鮮関係筋などに継続して取材を行い、乗っていた四人が金正恩を警護する護衛司令部直属の東洋貿易総会社幹部だという有力情報を入手した。

その背景には、米国情報機関が仕掛けた金正恩暗殺作戦があった。護衛司令部幹部が買収され、金正恩の位置情報を米国に教えており、それが発覚したため大粛正があり、身の危険を感じた四人が日本亡命を目指して木造船で逃亡、北朝鮮が文在寅政権に四人の送還を依頼し、韓国海軍イージス艦が出動したという驚くべき話だ。当時、自衛隊の統合幕僚長だった河野克俊氏は私が入手した情報について「当時、そんな話が流れていて、私も噂としては聞いている。そういうことなんだろうなとは思うが、韓国自身に説明してもらわないといけない前政権の闇だろう」（『産経新聞』二〇二三年六月八日付の阿比留瑠比論説委員のコラム）と話している。

北朝鮮は今、すさまじい経済難に直面している。二〇二三年初頭から八月までに各郡・市で数千人の死者が出ており、死体を片付ける作業を囚人にさせている。その実態も日本ではきちんと報道されていない。2章、3章で詳しく書いた。

外貨不足で紙幣用の紙が調達できなくなったため、ペラペラの紙に印刷された臨時紙幣「トン票」が発行されている。日韓の多くのメディアは外貨交換券だと誤報したが、私が入手した内部文書によると「トン票はすべてのものが不足し、困難な環境の中で輸入資材ではない我が国の原料と資材でつくったため、中央銀行券より多少質が落ち、使用に不便な点があ（る）臨時通貨」だと明記されている。北朝鮮は工業力が低いため貨幣印刷に必要な高品質の紙や印刷資材を国産できない。これまでそれらを中国から輸入してきた。

ところが、経済制裁の結果の外貨不足と二〇二二年からの中朝国境封鎖で、それらを輸入できなくなった。その結果、市中に流通する貨幣が不足し、経済活動に支障が生じることになった。それで質の悪い、ペラペラ紙で汚い印刷のトン票を貨幣の代わりに「臨時通貨」として発行することになったのだ。

5章では日韓関係について現場から体験的に論じた。やはり日本のメディアは一切報じなかったが、二〇二三年三月、三十年以上にわたり毎週水曜日にソウルの日本大使館前で行われてきた慰安婦問題を悪用した反日集会の参加者数が、二〇一九年十二月から始まった同時間に行われているアンチ反日集会の動員数に初めて大きく負けた大事件が起きた。そこで私は韓国語で演説したのだ。その現場の報告を書いた。

また、拉致問題では私は観察者ではなく、当事者だ。救う会（北朝鮮に拉致された日本人を救出するための全国協議会）の創設メンバーで現会長として二十六年間、救出運動に取り組んできた。家族会・救う会は二〇二三年二月、「親の世代の家族が存命のうちに全拉致被害者の一括帰国が実現するなら、我が国が北朝鮮に人道支援を行うことに反対しない」という新たな運動方針を決めた。

これは次の三つの条件を前提に考え出したものだ。

①核ミサイル問題が動かない
②親の世代の家族会メンバーが二人だけ、すなわち、有本恵子さんの父親の明弘さん（九十五歳）と横田めぐみさんの母親の早紀江さん（八十七歳）になってしまった
③安倍・トランプがつくり上げた史上最強の対北朝鮮制裁の結果、北朝鮮で飢饉《ききん》が発生し、党幹部や軍の兵士らも飢えに直面している

この運動方針が日朝を動かしつつある現状を6章で詳しく報告した。

北朝鮮（一部韓国）で今、何が起きているのかを知りたい方は、ぜひ本書を読んでいただきたい。本書をまとめるにあたって、ワックの齋藤広介さんに大変お世話になった。感謝します。

令和五年九月

西岡 力

# 狂った隣国

## 金正恩・北朝鮮の真実

◉目次

はじめに――金正恩・北朝鮮の真実を直視せよ！ 3

1章 ご乱心？ 奇行に走る金正恩〝将軍サマ〟 15
――四人の女と七人の子供の骨肉の争い

激化する後継者争い 16
金与正を取るか、玄松月を取るか 23
呼吸も、歩行も苦しい 27
絆創膏のヒミツ 29
金正恩激ヤセの真相――極秘訪中していた？ 31
命を狙われていると恐怖におびえる金正恩 36
十人の替え玉が存在する？ 39
〝軍のご機嫌取り⁉〟で特別な行事を実施 44

2章 続出する病死、餓死、凍死者　51
――深刻度を増す食糧難
熾烈を極める国内事情　52
北朝鮮の国内事情を理解するための三つのキーワード　55
住民の不満は限界へ　60
金正恩と娘が憤怒の対象に　63
新しい「苦難の行軍時代」　68

3章 実は平壌はクーデター前夜　73
――金正恩時代は終わった!?
大規模な反体制ビラ事件　74
経済制裁の効果は明らか　77
39号室の金正恩・統治資金が枯渇　82
ありとあらゆる犯罪行為と反社会的行為がまん延　86

どんどん浸透する韓国文化 88
紙幣がない？　臨時通貨「トン票」を急遽、発行 91

## 4章 朝鮮有事は台湾有事と同時に起きる

### ――中国・ロシアと接近する北朝鮮

97
中国からの極秘依頼があった！ 98
朝鮮戦争参戦を認め、金正恩にウクライナ派兵を求めたプーチン 103
北朝鮮とロシアの密約 110
ミサイル開発はすでに終わった 112
金正恩が攻撃されたら、核で反撃する 119
核ミサイルが飯を食わしてくれるのか 123
韓国・日本を標的にした核ミサイル攻撃 127
尹錫悦大統領の深刻な危機意識 134
軍事的緊張が高まり続けた 139
核攻撃をすれば北朝鮮は終焉する 143

日本の危機意識のなさ …… 146
非核三原則厳守では国を守れない …… 150
核ミサイルは脅迫手段 …… 152

## 5章 北朝鮮に近づく韓国 ——文在寅前政権の負の遺産 …… 157

文在寅逮捕は、なぜ難しいのか …… 158
尹大統領演説の希望 …… 163
慰安婦問題は反日勢力がつくり上げた嘘 …… 171
手には韓国の国旗・太極旗と日章旗が …… 177
朝鮮人戦時労働の衝撃的な最新研究 …… 184
レーダー照射事件の驚くべき事実が発覚！ …… 190

6章　見えてきた、拉致問題解決の日 …… 199
――追い込まれる北朝鮮、最後の一手を打つか
拉致被害者の死を勝手に断定する愚 …… 200
あまりにも無責任な暴言録 …… 204
対日工作の失敗 …… 208
小泉訪朝から二十年 …… 217
もう一度チャンスが来る …… 222
拉致問題を核・ミサイル問題とは別次元で扱う …… 228
早紀江さん「魂の訴え」 …… 234
岸田首相の「異例の挨拶」 …… 238
北朝鮮側の熱意は高い …… 243
日本と北朝鮮の実務者が複数回接触？ …… 247

装幀／須川貴弘（ＷＡＣ装幀室）

# 1章

# ご乱心？奇行に走る金正恩〝将軍サマ〟

## ——四人の女と七人の子供の骨肉の争い

## 激化する後継者争い

金正恩《キムジョンウン》の娘、金ジュエに関する話題がかしましい。二〇二二年十一月の「火星17」発射演習から二〇二三年二月の閲兵式(日本では軍事パレードと報じられている、以下軍事パレードとする)、四月の「火星18」の一回目試射、五月の軍事偵察衛星視察まで、何回もジュエが金正恩のすぐ横に登場したことについて、様々な分析が出た。

しかし、金正恩の女性関係の乱れと、それによる本妻・李雪柱《リソルジュ》と愛人・玄松月《ヒョンソンウォル》間の後継者をめぐる争い、玄以外の二人の愛人について伝える内容は全く目に付かない。

まず私が知る情報によると、以下のようなものだ。

二〇一九年十月、党組織を通じて「김령주(キム・リョンジュ)」「김일봉(キム・イルボン)」という名前をつけるなと命令が下った。このことは複数の情報筋で確認されている。関係筋によると、この二つの名は李雪柱と玄松月が生んだ息子の名前だという。リョンジュは本妻の生んだ息子の名前だと判明したので、イルボンは玄の息子である可能性が高い。過去に金正日《キムジョンイル》が後継者に決まった後、正日という名を付けるな、

との命令が下った例があるから、二人の名前をつけるなと命じた二〇一九年十月の時点では、金正恩は玄の息子も後継者候補に入れていた可能性がある。一時、金正恩は愛人・玄の家に入り浸《びた》り、そこが一号宅と呼ばれるまでになっていた。

ところが、本妻・李がまき返し、やはり二〇一九年のある時点で、李の息子に人民軍大将称号が授与された。ただ、過去に金正日から大将称号を授与された正男《ジョンナム》は結局、後継者争いから脱落したから、大将称号授与だけでは後継者に決まったとは言えない。李と玄の争いは続いた。

二〇二二年、金正恩は、本妻と愛人が自分の生んだ息子で後継者争いする姿を見て、最高幹部らを集め、後継者は李雪柱の息子にすると宣言したという。なぜ、その息子を出さず、娘の金ジュエを表に出し続けるのか、後継者争いがあること自体を隠すためという理由が考えられる。最近、後継者争いをしている李と玄の息子の二人とも表に出せない理由があってしかたなく、娘のジュエを出した、李の息子は体が弱くて表に出せない、玄の息子は外見が悪く、やはり表に出せないという話を聞いた。韓国の国家情報院も二〇二三年三月、未確認情報としつつ李の息子について「身体的・精神的に問題がある」という話を伝えた。

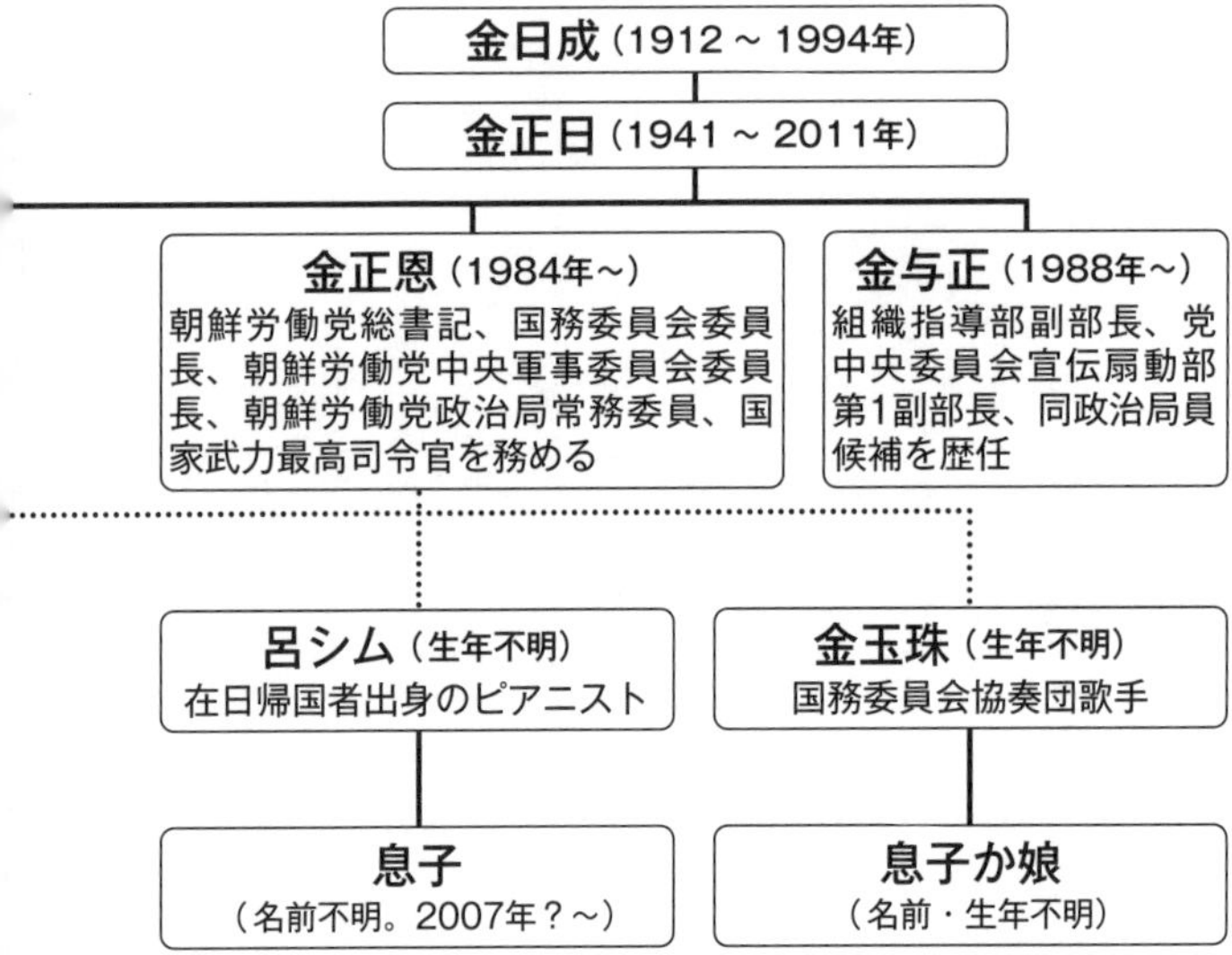


北朝鮮権力中枢部の動向を知る複数の筋の話を総合すると、金正恩には現在、四人の女（本妻と愛人）と七人の子どもがいるという（なお、本文に出てくる年齢は二〇二三年末時点でのこと）。

**①李雪柱**

李雪柱が本妻である。一九八九年生まれ、銀河水管弦楽団歌手出身。二〇〇七年、金正恩と正式に結婚、十四歳の息子（名前はリョンジュの可能性）、十一歳の娘、九歳の息子か娘がいる。

長男は二〇〇九年生まれ、玄が生

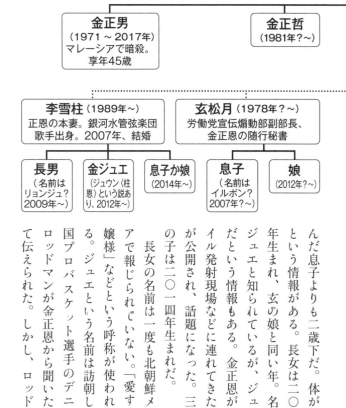

## 金正恩関係図

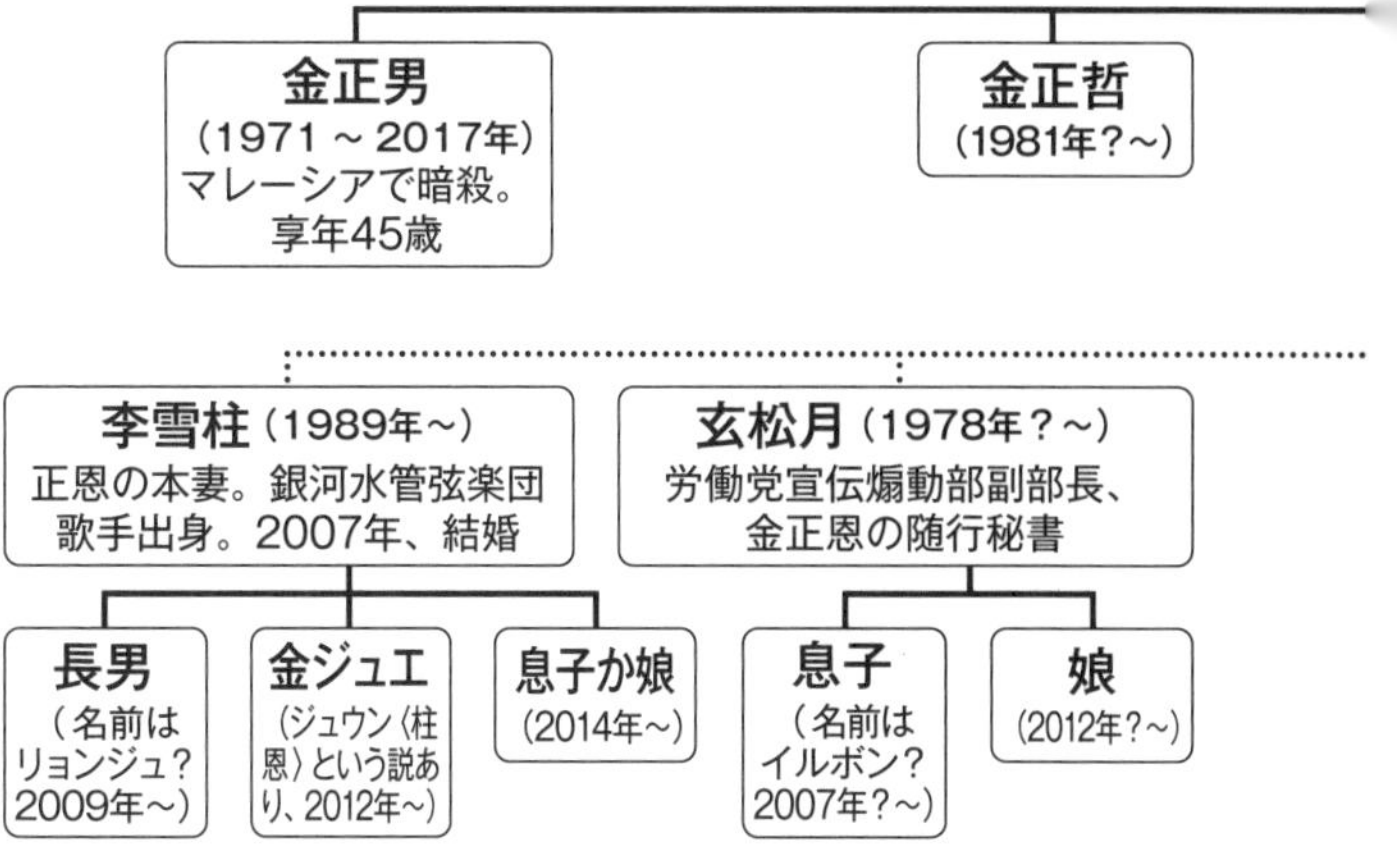


んだ息子よりも二歳下だ。体が弱いという情報がある。長女は二〇一二年生まれ、玄の娘と同い年。名前はジュエと知られているが、ジュウンだという情報もある。金正恩がミサイル発射現場などに連れてきた写真が公開され、話題になった。三番目の子は二〇一四年生まれだ。

長女の名前は一度も北朝鮮メディアで報じられていない。「愛するお嬢様」などという呼称が使われている。ジュエという名前は訪朝した米国プロバスケット選手のデニス・ロッドマンが金正恩から聞いたとして伝えられた。しかし、ロッドマンは朝鮮語ができないので聞き違えたという説があるのだ。本当はジュウン、漢字表記は「柱恩」、金正恩から「恩」を李雪柱から「柱」を一字ずつもらったという。

李は玄に対して激しい警戒心を抱いているという。二〇二二年九月、建国記念日の祝賀行事の公演で北朝鮮テレビが画面で特別にスポットライトを当てた少女が玄の長女だった。韓国などのメディアがその少女を金正恩の娘ではないかと報じたため、本妻の李が怒り、自分が生んだ金正恩の娘ジュエの姿を公開させたという。

### ②玄松月

最初の愛人は、玄松月・労働党宣伝煽動《せんどう》部一号行事担当副部長。金正恩との間に十六歳の息子（名前はイルボンの可能性）、十一歳の娘がいる。玄の生年については諸説あるが、韓国・国家情報院は一九七八年生まれとしており、金正恩より六歳上だ。

金正恩は一九八四年生まれで、一九九六年から二〇〇〇年にスイスに留学した。そのとき、精神的に不安定になり、父親である金正日が旺載山《ワンジェサン》軽音楽団の歌手だった玄をスイスに随時派遣して相談相手にした。そこで玄は金正恩の愛人となり、帰国後も関係は続いた。

## 金正恩の4人の女と、1人の娘

①李雪柱、②玄松月、③呂シム、④金玉珠、⑤金ジュエ（各画像：朝鮮中央通信、朝鮮日報、YouTubeより）

玄は息子を二〇〇七年頃、娘を二〇一二年頃に出産したことになる。なお、金正恩が本妻である李と結婚したのが二〇〇七年だから、結婚後も愛人関係は続いた。

玄は金正恩の愛人だという噂を否定するため護衛司令部軍人と結婚したが、その後、離婚した。モランボン楽団団長を経て、労働党宣伝煽動部副部長に抜擢《ばってき》され、金正恩の随行秘書となった。二〇二三年二月と七月の軍事パレードでも金正恩の後ろに立ち、指示を出していた。

玄が幹部人事を掌握しているという噂が流れ、権力ナンバーツーの金与正《キムヨジョン》が兄の金正恩に玄を遠ざけることを迫ったが、実現しなかったという。玄の息子は外見が悪くて後継者になることは難しいという新情報がある。

### ③呂《ロ》シム

二番目の愛人が、在日帰国者出身ピアニストの呂だ。金正恩との間に十六歳の息子がいる。息子は玄の息子と同じ十六歳という情報があったが、それよりかなり幼いという新情報がある。呂の生年などは不明。

金正恩がスイス留学から帰国後、熱愛したのが呂だ。呂は銀河水管弦楽団のピアニストだった。張成沢《チャンソンテク》と金敬姫《キムギョンヒ》（金正恩の叔母）が在日出身という理由で金正恩と呂の結婚に反対し、李を紹介したという。二〇〇七年の李との結婚後も愛人関係は続いている。

### ④金玉珠《キムオクチュ》

三番目の愛人が、国務委員会協奏団歌手の金玉珠だ。彼女には生年不明の息子か娘がいる。二〇二一年七月に人民俳優称号を授与され、金正恩と腕を組む姿の写真が公開された。玄が金正恩の愛人として斡旋《あっせん》したという。二〇二三年二月八日の軍事パレードで、金は国歌を独唱した。その日の軍事パレードには、本妻・李と愛人・玄、金の三人が参加した。

## 金与正を取るか、玄松月を取るか

二〇二一年八月中旬、金正恩の妹、金与正と玄が激しく衝突したという内部情報を入手した。

玄松月はモランボン楽団団長などを歴任した歌手だが、党中央委員会宣伝扇動部一号行事担当副部長として、金正恩に関するすべての日程管理と随行秘書的な役割を果たしている。玄は秘書の仕事だけでなく、金正恩の「喜び組」の管理、金正恩が気に入る若い女性をアレンジする仕事も担当している。

その頃、玄の住居は平壌の幹部らの中で「一号宅」と呼ばれており、金正恩は本妻の李雪柱からは心が離れ、玄の自宅に通っていた。

金与正は金正恩書記室長の役割を担って、金正恩に上がるすべての決裁書類や報告書と、金正恩が決裁したすべての指示を一括して管理している。与正は、玄が自分の息子を後継者にしようと狙い、そのために金正恩の歓心を引くため女色に溺《おぼ》れさせており、その結果、金正恩の健康が悪化したと激怒していた。

二〇二一年八月中旬、与正が金正恩に「私たちのお父さんもいろいろな女と子どもをつくって、国際的な恥をかいたが、お兄さんもいま玄松月のために同じことをしている。これでは国が亡《ほろ》びる。私を取るか、玄を取るか、どちらかを選んでほしい」と直接訴えた。金正恩はその場で明確な回答をしなかった。

その後、金正恩は玄を遠ざける決断をしなかった。九月九日の民間武力軍事パレードは民間武力に対しても金正恩が高い関心を持っていることを示して彼らを激励すべきだという、玄の発案だった。芸術家らが優遇されたのも玄の考えだ。それに対して、与正は激怒して軍事パレードに出なかった。

二〇二一年九月九日の建国記念日に異例の民間・安全武力軍事パレードがあった。民間武力とは地方や職場ごとに組織されている労農赤衛軍などを指し、安全部力とは社会安全部、すなわち警察を指す。

各道の党書記を先頭に地方の労農赤衛軍が行進し、それに続いて大工場の労農赤衛軍、マスクをした感染症防疫要員の労農赤衛軍、警察の武力組織社会安全軍、トラクターやトラックに乗った協同農場の労農赤衛軍、などが次々行進した。

特に目についたのが、芸能人や運動選手の部隊だった。朝鮮中央通信は「力強く進む文化芸能人縦隊とスポーツマン縦隊には、祖国の栄誉を宣揚《せんよう》し、社会主義文化の開花期を切り開くのに貢献した芸能人、映画人、スポーツマンの姿もある」と強調した。

主席壇に金正恩と、党と軍の最高幹部が立ち、これら民間武力を敬礼しながら迎えた。そのすぐ後ろの席に、朝鮮中央テレビの金正恩のニュース専門アナウンサー、李《リ》春姫《チュニ》と金正恩のお気に入りの歌手で愛人の、金玉珠が立っていた。各赤衛軍の行進開始前に金玉珠が国歌を独唱した。

行進が終わり、建国を祝う舞踏会になった頃、二人が金正恩のすぐ横に移動し、李アナウンサーが金正恩の腕に手をかけて話しかける場面が朝鮮中央テレビの映像で確認された。金正恩の随行秘書の役割をしている、やはり愛人の玄松月は主席壇で甲斐甲斐しく金正恩の世話をしている姿が確認されたが、金正恩の妹で事実上の権力ナンバーツーである金与正の姿はなかった。

軍事パレードの前日には金正恩が、李春姫や金玉珠らをはじめとする各分野の功労者を招待して宴会を開き、参加者らと写真を撮った。そのとき金正恩のすぐ右で李春姫が金正恩の腕に手を回しており、左には金玉珠が立っていた。

平壌の幹部らは与正の助言にも耳を貸さず、玄を重用している金正恩の姿を見て、玄の息子の父が金正恩だという話は本当ではないかとささやき合っていたという。

その軍事パレード直後の九月十一、十二日の長距離巡航ミサイル、十五日の鉄道からの二発の弾道ミサイル発射と同じく、十五日の文在寅《ムンジェイン》大統領（当時）を非難する与正談話（「大統領までが出てきてけなすなら、仕方なく相応の行動を取らざるを得ず、そうなれば南北関係は完全に破壊に至るだろう」と発言）は、玄松月への〝対抗〟という側面がある。

実は、与正は幹部らの信頼がないらしい。二〇二〇年六月の開城《ケソン》工団爆破で金正恩の信頼を一時的に失って、内政への関与はできなくなり、対南、対外関係などだけを担当させられたという。

与正が文在寅大統領（当時）への怒りにまかせて爆破を行い、大量のビラを風船やドローンで南に送ろうとしたとき、金正恩が、お前に任せると言ってやらせたが、考えが浅すぎる、文在寅を圧迫することはよいが、やり過ぎて次に保守政権ができることは不利益だと考えるべきだ、という趣旨で与正を叱責《しっせき》したという。

## 呼吸も、歩行も苦しい

金正恩の健康不安説が、ネットを中心に喧《かまびす》しい。さまざまな噂が飛び交っているが、信憑性《しんぴょうせい》を帯びているものもあればデマもある。

二〇二〇年四月には一時、死亡説まで流れたが、三週間ぶりに金正恩が公の場に登場して死亡説は消えた。私は当時、金正恩は心臓発作で緊急手術を受けたという情報を信頼できる筋から聞き、そのように発言した。最近になり、当時の詳しい状況に関する情報を聞くことができたので、書いておく。

・心臓の冠動脈が詰まって狭くなる狭心症の発作が起きた。詰まり方がひどく脳に血液が十分に回らず意識を失った。

・最高幹部専用の烽火《ポンファ》診療所医師が応急手当を行い、フランス医師を呼んで手術をした。足の付け根からカテーテル（細い管）を入れ、詰まっている血管にステント（筒状になった網目の金属）を入れて血流を確保した。

・手術は成功して発作から十五日後に意識が戻った。
・フランス医師との間で行ったメール連絡が西側情報機関に傍受された。
・同じ狭心症の発作が二〇二二年八月にも起き、そのときは中国瀋陽《シェンヤン》まで行って中国医師から同じ手術を受けた。

二〇二一年には、金正恩と面会した幹部の話として次のようなことも伝わっている。幹部が金正恩と面会したとき、息をするのが苦しそうに見え、歩く歩幅も前に比べて短くなっていた。顔に赤い斑点《はんてん》が見えるときがあり、怒ると顔が赤黒くなり、肝臓も悪いのではないかとみられている。

金正恩が二〇二一年に一時、痩《や》せたことは間違いない。写真で確認できる。健康を考えてダイエットしたという説もあるが、平壌から伝わっている情報は健康悪化説だ。健康状態が悪いのに、タバコ、酒を止めない。タバコを吸い続けていることは公開されている会議や現地指導などの多数写真で確認できる。

二〇二一年七月末に実施された講習会（詳細は後述）の様子を撮影した朝鮮中央テレビの映像がネット上で公開されると、金正恩の後頭部に絆創膏《ばんそうこう》のようなものが貼られていることがわかり、関係者の話題となった。講習会の後半の映像では絆創膏のようなものはなくなり、黒い痣《あざ》のようなものが、その場所にあることが確認された。

また、講習会での金正恩の姿は上着がダブダブで、相撲取りのように太っていたお腹の部分がかなりひっ込んでいた。韓国・国家情報院によると金正恩は身長百七十センチで、体重は金正日が死亡して三代目の独裁者になった時点の二〇一一年末には八十キロだった。少し太り気味だが、肥満ではない。

ところがその後、急速に太り始め、二〇一二年八月：九十キロ、二〇一四年：百二十キロ、二〇一六年：百三十キロと肥満度を増した。当初は祖父、金日成《キムイルソン》の体型に似せることでカリスマ性を持たせようと意図的に太ったようだが、そのうちに栄養価の高いチーズをつまみながら、一晩でワインを十本から二十本飲み、最後にコニャックなど強い酒を飲んで眠るという生活を続け（日本人料理人、藤本健二氏の証言）、病的な肥満体型となっていった。二〇二〇年末には百四十キロになっていた。

## 絆創膏のヒミツ

ところが二〇二一年五月、丸一カ月、表に出てこなくなり、同年六月初めに出てきたとき、韓国・国家情報院の推計で十〜二十キロ痩《や》せていた。痩せた理由について国情院は同年七月八日、韓国国会で「健康のために減量を行ったとみられる。会議を何時間も主宰し、元気に歩いていることから、健康状態には問題ないとみている」とダイエット説を主張した。

しかし、講習会の金正恩の席の前の机には灰皿があった。彼は大切な会議でもタバコを我慢できないほど自制心がない。そのような人間に運動と食事制限によるダイエットが可能なのかという疑問がある。

一方、人民の生活を心配してやつれたという説が、北朝鮮の公式媒体で流された。朝鮮中央テレビが六月二十五日に痩せた姿を見た平壌市民に「敬愛する同志のやつれた姿を目にして胸が痛かった」「涙が自然に出てきたと誰もが語っている」と語らせる映像を放映した。

痩せた姿は隠しようがないので、韓国にはダイエット情報を、北朝鮮内部には人民のことを心配しすぎてやつれたという情報を流したのではないか。

複数の北朝鮮内部につながる脱北者は「糖尿病が悪化し、血糖値四百を超えてインシュリンが効かなくなり、与正が主導して中国の人民解放軍病院である８３１病院の医師を呼んで胃を除去し、食べ物の摂取量を減らす減量手術を行った。手術は内視鏡で行われ成功した」という情報を伝えている。

ある脱北者は「糖尿病の合併症で血管炎が起き、体中に痣《あざ》のようなものが出ていて、その一つが後頭部に出たので、それを隠すために絆創膏を貼った」と伝えた。別の情報筋は「脳に腫瘍《しゅよう》ができて、手術ではない治療を行った。腫瘍が悪性かどうかはまだわかっていない。治療の痕跡を隠すため、絆創膏のようなものを貼った」と伝えている。放射線治療の可能性も考えられる。

一方、米国の専門家からは「後頭部にできた良性の腫瘍の除去手術をして、その傷跡を隠すために絆創膏を貼った」という見方も出ている。

## 金正恩激ヤセの真相――極秘訪中していた？

日本では金正恩がかなり痩せていたが顔色が良かったことから、病気ではなく健康のためのダイエットに成功したとする解説が多数出た。しかし、先述したように金正恩の健康状態は良くない。テレビ画面では健康そうに見えるが、近くで金正恩と会っている幹部らは別の見方をしている。体重低下の理由は糖尿病が悪化したため、胃の一部を切除する緊急手術をして体重を無理やり減らしたためだという。

二〇二二年になり、金正恩は暴飲暴食を再開しリバウンドして、肥満体に戻った。韓国・国家情報院によると、体重が百四十キロ台まで増えたとの見方を示した（二〇二三年五月三十一日時点）。人工知能（ＡＩ）で推定したとしている。また、相当な睡眠障害に陥り、腕などにひっかき傷が確認され、ストレスとアレルギーの複合的な原因による皮膚炎とみられるという。

話を戻すが、二〇二二年、二度目の心臓発作が起き、緊急に中国に行って手術を受けたことが分かった。北朝鮮を中心とした朝鮮半島総合情報サイト『コリアワールドタイムズ』が二〇二二年十二月四日付、「金正恩総書記が極秘訪中で手術か　十月上旬に瀋陽で実施と飛び交う」という題で、こう伝えた。

〈金正恩総書記が、十月上旬に極秘訪中して手術を行ったという噂が中国朝鮮族の間で飛び交っている。

遼寧省《りょうねいしょう》瀋陽の朝鮮族実業家は、あくまで噂レベルの話だと前置きした上でシェアしてくれた。金総書記は、瀋陽市内の大学病院でカテーテル治療の手術を日帰りで受けたという。

噂によると、瀋陽へは空路ではなく国際列車で中国入りし、丹東《タントン》から自動車で瀋陽へ移動。担当医は、北京から派遣されたなどかなり具体的だ〉

この噂について私は次のような具体的情報を、二〇二二年九月初めの段階で聞いていた。

〈金正恩は八月に瀋陽で手術を受けた。

八月十八日、瀋陽第一医科大学病院で冠動脈狭窄《きょうさく》に対するカテーテル手術を受けた。手術は成功した。その後、同病院で後遺症に備えて療養した。

命にかかわる手術ではなかった。ただ、高度の肥満などのため、金正恩の手術を北朝鮮の医者が断った。

それで、習近平に連絡して中国での手術を依頼し、八月十七日夜、中国が送ってきた特別機で瀋陽に運ばれた。

ごく少数の幹部しか知らない極秘情報だ。金与正が全体状況を管理していた〉

二〇二〇年五月に続いて二〇二二年八月にも心臓発作が起き、手術を受けている。その後遺症なのか、脳の毛細血管に異常があるのではないかという情報が出てきた。二〇二三年六月頃から脳の血管の病気で顔面麻痺《まひ》と言語障害が出ているという情報がある。その二つの症状はまだ軽いもので、寝たきりになっているわけではない。激しく怒ったり、怒鳴ったりすることで血圧が上がると症状が悪化する。そのため、後述する食糧難の深刻さなど悪い情報はなるべく金正恩には上げないようにされているという。金正恩の健康状態は極秘とされているので、情報の検証が必要だ。以下の四つの最近の金正恩をめぐる事象は、この情報と矛盾しない。注意深く金正恩の動向を観察し続ける必要がある。

第一に、二〇二三年六月十六日から十八日にかけて開催された朝鮮労働党中央委員会総会拡大会議で、通常はなされていた金正恩の演説がなかった。情報によると金正恩は言語障害のため長時間の報告ができなかったという。

第二に、七月八日の金日成二十九周忌に際し、錦繡山《クムスサン》太陽宮殿を参拝する金正恩の写真や動画が一切公開されなかったことだ。毎年、金正恩は幹部らを引き連れて錦繍山太陽宮殿を参拝し、その写真や動画を公開してきた。ところが、二〇二三年、『朝鮮中央通信』や『労働新聞』、朝鮮中央テレビなどは金正恩が参拝したと報じたが、そこに通常ならあるはずの参拝場面の写真や動画がついていなかった。情報によると、七日の夜二十三時過ぎに八日になってすぐの恒例の夜中の参拝のために幹部らと待機していたが、そこで顔面麻痺と言語障害が起きて参拝を急遽取りやめたという。

第三に、七月十二日、「火星18」ミサイル試射を行った際、現地指導した金正恩の写真が二枚だけ公開されたが、顔がむくんでいた。これまでの「発射成功」の場面では、金正恩が立ち上がり、妻・李雪柱や妹与正、党最高幹部らと満面の笑みを浮かべて体中で喜びを表す動画や多数の写真が公開されていたが、このときはむくんだ顔の写真がわずか二枚しか出なかった。

第四に、七月二十七日に行われた朝鮮戦争「戦勝」七十周年記念軍事パレードとその前後の行事には出てきたが、軍事パレードで演説をしなかった。ただし、ロシアや中国代表団とは会話をした。ただし、テレビカメラの前で長時間演説するまでには回復していなかったという。

## 命を狙われていると恐怖におびえる金正恩

金正恩の懸念は何も自身の健康だけではない。

軍事パレードの軍人らの行進において、金正恩がいかに自分の身辺の安全に不安を抱いているのかが分かる場面があった。軍事パレードではまず、各部隊の兵士らが指揮官を先頭に縦隊行進を行う。

二〇二二年四月二十五日もこれまで通り、最初は名誉騎兵縦隊が白馬にまたがって行進した。その後、これまで数年間のパレードでは登場しなかった「抗日武装闘争時期の縦隊」と「祖国解放戦争（朝鮮戦争）時期の縦隊」が行進した。軍創建記念日のパレードなので老兵たちを登場させたのだろう。

その後、人民軍の軍団などが出てくる前に金正恩の警護を担当する四つの部隊の縦隊が行進した。

①党中央委員会護衛処縦隊（韓順哲《ハンスンチョル》上将が引率）、②国務委員会警衛局縦隊（金哲《キムチョル》奎《ギュ》上将）、③護衛局縦隊（金勇浩《キムヨンホ》中将）、④護衛司令部縦隊（郭昌植《クァクチャンシク》上将）だ。

従来、金正恩の警護を担当する部隊は、人民軍とは別組織の④護衛司令部だった。同司令部は、なんと十二万人の兵力を持つと言われていた。軍かクーデターを起こしても護衛司令部だけで、それと対抗できる兵力を備えていたのだ。

ところが、護衛司令部が米国情報機関に買収され、金正恩の所在情報を米軍に漏らしていたことが発覚し、二〇一八年秋、尹正麟《ユンジョンリン》司令官（大将）と金成徳《キムソンドク》政治委員（大将）が処刑された。尹正麟は二〇一四年十二月、金正恩と腕を組む写真が公開されるほどの最側近だった。この大事件については5章で詳しく書く。

金正恩と金与正はどこにスパイが入り込み、自分たちの命を狙っているか分からないという恐怖におびえ、その後、護衛司令部以外に①、②、③の三つの護衛部隊を新設した。

①は党中央委員会に所属し、②は国家機関である国務委員会に所属し、③はどこに所属するのかが不明で、それぞれの関係もまったく分からない。関係者によると、①から④を統率する部署は存在せず、お互いに牽制《けんせい》し合っているという。金正恩の不安心理のあらわれだ。

最初に①～③の護衛部隊が姿を現したのが、二〇二〇年十月十日の軍事パレードだった。その異常さを私は月刊『正論』(二〇二〇年十二月号)で指摘した。二〇二一年四月二十五日の軍事パレードでも、やはり①〜③が登場したが、日本と韓国のマスコミはこの異様さについて一切指摘していない。

実は、私は金正恩の不安を示す北朝鮮の内部文書を入手している。「敬愛する最高領導者金正恩同志におかれては主体一〇八(二〇一九)年新年辞で提示なされた戦闘的課業を徹底して貫徹することに対して」と題する二〇一九年の内閣経済部署の業務計画文書だ。驚いたことに、その最初に出てくる課題が、金正恩の身辺の安全を守ることだった。

〈敬愛する最高領導者の安寧《あんねい》を徹底して保障し、経済事業で党の唯一的領導体制を一層徹底して立てること。

省、中央機関と道人民委員会は敬愛する最高領導者同志の安寧と身辺安全をすべての方面から保障する事業を、すべての事業の最初の場所に置いて組織展開し、いつでも敬愛する最高領導者同志を自己の単位でもっとも安全にお迎えしてお喜ばせできるように準備していくこと〉

経済部門の業務計画の冒頭に、「最高領導者同志の安寧と身辺安全をすべての方面から保障する事業を、すべての事業の最初の場所に置く」と明記されているのだ。金正恩の不安の深さの反映だ。

## 十人の替え玉が存在する？

ここで、金正恩が国内の反体制派から狙撃されることを恐れて複数の替え玉を準備しているという驚くべき話しを紹介しよう。

ネットなど一部で金正恩には替え玉がいるという説が出回っている。写真を見るとかなり人相の違う人物が出てきているなどがその理由だ。真相は、演説したり現地指導したりして北朝鮮公式メディアに出る替え玉はいないが、スナイパーによる狙撃に備えるための替え玉は少なくとも十人存在する。その根拠を書こう。

二〇二〇年八月九日、韓国のケーブルテレビ「チャンネルA」の人気番組「さあ会いに行きます（イジェ・マンナロ・カムニダ）」に金正恩を近接警護する974部隊の元隊員が生出演した。三カ月前に亡命したばかりのウォン・ホチョル氏だ。彼は二〇一六年から一七年まで974部隊員だった。彼はそこで、金正恩の替え玉（影武者）が十人いること、北朝鮮内部に金正恩暗殺を狙う地下組織が存在すると認識し、厳しい警護をしていることなどを初めて語った。ウォン氏の証言を紹介する。

〈スナイパーによる狙撃テロや偵察衛星の撮影などを防ぐため974部隊に十人程度の金正恩の代役、替え玉がいる。とても似ている。服装も同じにしている。遠くから見たり、後ろから見たら区別できないくらい似ている。ただ、近くから見れば区別できる。部隊の先輩たちから次の体験談を聞いた。

どこかに現地指導に行くとき、危険だという情報があった。そこで車十六台で行った。そのうち一台から本物の金正恩だと思われる人物一人が先に降りてきて、その後、同じ服装で金正恩と似ている六人が同時に降りてきて、一緒に移動した。その周囲を974部隊員が固めた。

ここで言う「危険」とは、韓国や米国ではなく、北朝鮮内部勢力による暗殺計画を指している。これまで何回も金正恩暗殺未遂事件があったので警戒を強めている〉

北朝鮮の内部矛盾が深刻化していることを象徴する出来事がはかにもあった。2章で詳述するが、二〇一九年頃から北朝鮮は深刻な食糧危機を迎えている。

二〇二一年六月から七月にかけて起きた前代未聞の一連の出来事を説明する。

六月十五日から十八日まで開かれた党中央委員会総会で金正恩は「人民の食糧状況が緊張している」と述べ、同会議の第五議題は「当面する食糧危機を克服するための緊急対策を立てることについて」だったことが判明した。北朝鮮が「食糧危機」が起きていることを認めた。これも異例だ。

中央テレビによると金正恩は第五議題「当面する食糧危機を克服するための緊急対策を立てることについて」において、次のように危機感あふれる演説をした。中央テレビ報道から書き起こしたその部分を拙訳で紹介する。

〈総書記同志におかれては今、人民生活を向上させるにおいて切迫した当面課題は食糧供給から造成される緊張を解消するための対策を立てることだ、とおっしゃりながら、（略）今回の全員会議において現時点で人民らが第一に関心を持ち望んでいる切実な問題を至急に解決するための決定的な執行措置を執ろうとする、とおっしゃって、国家的に糧穀が保障されれば輸送と加工を迅速に行い、人民たちに食糧が届くまでのすべての事業を責任を持って行わなければならない、と強調されました。

総書記同志におかれては困難なときであればあるほど人民たちの生活上の困難を一つでももっとなくしてやりたいという切実な心と強い決心をこめて、真に悄然《しょうぜん》とする特別命令書を発令されました。全員会議全体の参加者たちは国の全人民の運命と生活について全的に責任を負われ守ろうとされる偉大な父の心情が込められた措置に熱のこもった拍手で同意しました〉

傍線部分を中心に解説したい。金正恩は「切迫した当面課題は食糧供給から造成される緊張を解消するための対策を立てることだ」と語っている。「食糧危機」が発生していると認めたのだ。なお、この部分は外国からもアクセスできる労働新聞や朝鮮中央通信では落ちている。外国には食糧危機が起きていることを知らせたくなかったのだろう。

そして「問題を至急に解決するための決定的な執行措置を執ろうとする」「国家的に

糧穀が保障」「特別命令書を発令」と語り、映像を見ると自身が著名した命令書なるものを掲げて参加者に見せ、参加者が全員立ち上がって万雷の拍手を浴びせた。

中央テレビでも命令書の中身については伝えていないが、内部情報によると戦争備蓄食糧を放出するという「特別命令」だったという。

平壌につながる複数の情報源によると、二号倉庫放出と各部隊が保管する戦争備蓄食糧の放出だった。前者は、戦時に住民に食べさせる食料で党の二号事業所が管理しており、前年も放出された。一方、後者は建国以来初めて下される命令だった。

つまり、金正恩は軍の各部隊が戦時に備えて備蓄している門外不出の戦争備蓄食糧を人民に配れという命令を公開の席で下したのだ。そこまで追い込まれていたということだ。その結果、平壌で二十日分、地方ではそれより少ない量が配られるという話が中央委員会総会の終了後、拡散した。

ところが、内部情報によると七月に入っても、食糧配給は行われていない。特別命令まで出して人民に食糧を届けると明言した金正恩のメンツは丸つぶれになった。

実は、人民軍の戦争備蓄食糧の倉庫に人民に配るだけの食糧がなかったのだ。軍内の深刻な食糧不足と兵士らの栄養失調続出のため、人民軍は金正恩に報告しないで戦争備蓄食糧を兵士らのために少しずつ放出していた。そのため、軍はすぐに住民らへ戦争備蓄食糧を放出することができなかった。

人民軍の最高首脳である軍首脳は金正恩の特別命令が発令された直後に、人民軍後方総局で各部隊が実際に保有する戦争備蓄食糧の量を確認して、現状では金正恩の特別命令を実行できないことを把握した。

そこで、軍の下にある天龍貿易会社を使って、大連の倉庫などに保管されている北朝鮮への輸出が決まっている食料の一部を金正恩の承認を得ずに船で密輸しようとして発覚した。それを知った金正恩が激怒し、軍の最高幹部二人を二千人の幹部らを集めた席で集団叱責し、更迭《こうてつ》する事件が起きた。

二〇二一年六月二十九日、突然、労働党拡大政治局会議が開催され、政治局委員一人が会議場で逮捕され、軍の序列一位と二位が糾弾され、降格した。

## “軍のご機嫌取り!?”で特別な行事を実施

拡大政治局会議は異例ずくめだった。そもそも、同年六月十五日から十八日まで党中央委員会総会が開かれてから、わずか十一日しか経っていないのに政治局会議が開かれることが異例だった。政治局会議とは政治局常務委員、政治局委員、政治局委員候補で構成される党の最高幹部会議で、その時点でのメンバーは常務委員五人、政治局委員十四人、同候補十人の合計二十九人だが、なんと約二千人の党、軍、国家機関の幹部らが傍聴人として集められたことも異例だ。

ちなみに、二〇二一年六月の党中央委員会総会は中央委員と同候補合計で約三百人、それに政府や地方の幹部らの傍聴者を加えて五百人程度が出席していたから、拡大政治局会議の二千人出席の異常さがよく分かる。

金正恩が怒気をあふれさせた顔で拡大政治局会議招集の目的を次のように語った。

〈国家の重大事を受け持った責任幹部が、世界的な保健危機に備えた国家非常防疫戦の長期化の要求に応じて、組織・機構的、物質的および科学技術的対策を立てるべきだという党の重要決定の実行を怠《おこた》ることによって、国家と人民の安全に大きな危機を醸成《じょうせい》する重大事件を生じさせた〉

〈党大会と党総会が討議、決定した重大課題の貫徹にブレーキをかけ、妨《さまた》げる重要因

子は、幹部の無能と無責任感である〉

ここで金正恩が語った「重大事件」の具体的内容について、北朝鮮の公式メディアは報じなかった。だから、今でも日本をはじめ西側メディアでは真相が報じられていない。

会議では幹部の思想の問題点が繰り返し指摘、叱責された。金正恩が怒りにまかせて演説するだけでなく、幹部の思想統制を担当している組織書記である趙勇元政治局常務委員が「党の決定と国家的な最重大課題の遂行を怠った一部の責任幹部の職務怠慢行為」について詳細に報告した。

その後、何人かの政治局メンバーと、それ以外の幹部が次々に登壇し、「責任幹部が党中央の構想と指導の実現に害毒の結果を及ぼすようになった思想的根源について、党的原則から政治的に鋭く分析、批判した」という。朝鮮中央通信は登壇した幹部十二人の顔写真を一人ひとり大きく報じた。政治局のメンバーでは前掲の趙勇元、李日煥《リイルファン》・勤労団体部長、金才竜《キムジェリョン》・組織指導部長、金亭植・法務部長、鄭京沢《チョンギョンテク》・国家保衛相（上将）、李永吉《リヨンギル》・社会安全相（大将）らだった。

そして六人目に、玄松月・宣伝扇動部副部長が登壇した。歌手出身の女性副部長が軍の最高幹部の無責任さを批判する演説をしたことは驚天動地であり、批判された幹部の屈辱感は大きかっただろう。

その後、金正恩が総括演説をして出席者全員から起立・拍手を受けた後、人事が議題となった。政治局常務委員、政治局委員、候補委員と党書記、国家機関幹部の解任と任命が提案され、挙手で採決があった。そのとき、壇上で異変があった。政治局員の崔相建《チェサンゴン》・科学担当書記が会議場で拘束され、保衛省に連行された。国防科学院からミサイル関連情報が海外の情報機関に流出したことと関係があるという。

朝鮮中央テレビの映像を見ると、崔以外の壇上の政治局員が挙手で賛成の意思表示をしているのだが、政治局常務委員の李炳哲・中央軍事委員会副委員長（人民軍元帥）と、政治局委員の朴正天《パクチョンチョン》・総参謀長（人民軍元帥）が顔を下げ、挙手をせずに座っていたのだ。李は政治局常務委員を更迭され、政治局員候補まで降格された。朴は人民軍元帥から次帥に降格された。

ところが話はこれで終わらない。二人の降格を知った軍では兵士に食べさせる食糧が欠乏して兵士らが栄養失調と飢えで苦しむ中、門外不出の戦争備蓄に手をつけて兵士らに食べさせた二人の最高幹部への同情と、その実情を知らずに怒りにまかせて降格処分をした金正恩への不満が高まった。それが放置できない水準まで高まったと判断した金正恩が一変して、軍のご機嫌を取る特別な行事を行ったのだ。

二〇二一年七月末、軍内の不満を抑えるため平壌で異例の行事が行われた。七月二十四日から二十七日にかけて、第一回朝鮮人民軍指揮官・政治活動家講習会が開催されたのだ。共産主義国の軍隊である北朝鮮軍では、軍は国家ではなく党の指揮下にあるとされ、各部隊には指揮官だけでなく政治委員がいて、その二人の合意があってはじめて部隊を動かすことができる。その両者が全国から全員集められた。しかも、全軍の連隊レベル以上の指揮官と政治委員、大佐、中佐レベルまでが集められたのだ。

会場となった4・25文化会館は六千人が定員だが、公開された写真では満席だったから、約六千人の軍幹部が部隊を留守にし、平壌に集まったことになる。金正恩が連日出席し、参加者全員と記念撮影をした。二十七日夜には参加者のための宴会があり、二十八日には国務委員会演奏団が参加者らのためにコンサートを開いた。このような講習会はこれまで一度もなかった。

講習会開催中に米韓軍が北進してきたら、北朝鮮軍は指揮官と政治委員抜きで戦争をせざるを得なかった。だから、講習会があったという報道は、彼らが部隊に戻った三十日にあった。

講習会で指揮官と政治委員らの思想の引き締めを行うと同時に、宴会とコンサートで彼らの機嫌を取ろうとしたのだ。それをしないと持たないくらい、軍の動揺が深刻なのだろう。

金正恩は指揮官らに対して二回も軍人の生活改善を約束した。

〈人民軍軍人により改善された軍務生活条件を保障する上で提起される方法的問題を詳しく明らかにした〉

〈戦争に対処する準備を完成する事業と軍人生活の改善に画期的な前進をもたらすとの確信を表明した〉

戦争備蓄を軍内に放出せざるを得ないくらい軍の食糧事情が悪化していることを金正恩が理解したことになる。しかし、その後も軍人の生活改善の約束は守られず、軍人の困窮は続いている。

以上をまとめると、二〇二一年六月の時点で金正恩は一般人民が飢えで苦しんでいることを知り、軍に対して戦争備蓄を人民に配れという特別命令を下した。

ところが、軍は飢える兵士らのために無断で戦争備蓄に手をつけていた。金正恩が激怒して軍の最高幹部二人を降格したが、それに対して軍内で不満が高まった。軍の不満を放っておけないと思った金正恩が、七月に全軍の指揮官と政治委員を平壌に集め、宴会とコンサートを開いてご機嫌を取り、軍人の生活改善を約束した。このような異常なことはこれまでなかった。金正恩がどれほどストレスをためただろうか。先に見た金正恩の二回目の心臓発作は、この一連の異常な出来事が起きた一年後の八月に起きている。

その後、二〇二三年にかけて何が起こったのか、次章で見ていこう。

# 2章

# 続出する病死、餓死、凍死者

## ——深刻度を増す食糧難

## 熾烈を極める国内事情

北朝鮮の国内事情は熾烈《しれつ》を極めている。二〇二三年に入り、全国の農村と地方都市で餓死が出ている。チャンマダン（市場）には子どもの乞食があふれている。ついに平壌でも餓死者が出始めた。八月十七日、韓国国会で金奎顕《キムギュヒョン》・国家情報院長は「一月から七月までに餓死者が二百四十件」と報告した。

しかし、実態はもっとひどい。北朝鮮につながる脱北者は私に「国情院は北朝鮮の実態をつかめていない。同じ時期、各市・郡で数千人が死んでいて、道ばたの死体をかたづけるため労働鍛錬隊員（比較的軽い犯罪を犯し強制労働させられている囚人）が動員されている」と、話した。

現在の経済危機は一九九〇年代後半の「苦難の行軍」と呼ばれた大飢饉《ききん》とは様相が異なっている。当時は配給を待っていた人民や一般党員ら三百万人以上が餓死した。

しかし、今回の場合は、人民の多くはなんとか自力で食べている。その時から現在まで、人民への配給は正常化していないからだ。配給以外の方法で食べることができる者だけが生き残ったのだ。彼らは今も苦しみながら、なんとかチャンマダンでの商売や、山に入って焼き畑をするなどして食いつないでいる。苦難の行軍時代には配給があった軍や治安機関、党と政府幹部らに対する配給が激減したり、止まったりしている。なお、北朝鮮の治安機関は一般警察である社会安全省と、政治警察である国家保衛省がある。

1章で見たように、二〇二一年六月には金正恩が軍に戦争備蓄を人民に放出せよという特別命令を出したが、すでに軍が戦争備蓄を兵士らに食わせていて人民への配給は実現しなかった。夜になると飢えた兵士らが兵営を抜け出し強盗になっている。

北朝鮮で大飢饉が起きているのに、その惨状は日本ではほとんど伝えられていない。韓国のマスコミがほとんど書かないから、日本メディアのソウル特派員も独自取材をせず書かないのだ。その中で、二〇二三年六月十五日、英国メディアBBCのジーン・マッケンジー・ソウル特派員が「北朝鮮、首都でも『近所の人が餓死』国民がBBCに苦境を語る」という特ダネ記事を書いた。それを紹介しよう。

マッケンジー特派員は北朝鮮に情報網を持つ韓国のウェブサイト「デイリーNK」の協力を得て、北朝鮮の一般市民三人にひそかにインタビューをした。そのやりとりを引用する。

〈首都ピョンヤン（平壌）で暮らす女性ジョンさんは、知り合いだった三人家族が自宅で餓死したとBBCに話した。「水をあげようとドアをノックしたのですが、誰も出てきませんでした」。当局者が中に入ると、家族は死んでいたという。（略）

中国との国境近くに住む建設作業員の男性チャンホさんは、食料の供給があまりに少ないため、彼の村ではすでに五人が餓死したと話した。

「最初は新型コロナウイルスで死ぬのではないかと不安でしたが、そのうち餓死するのではないかと心配になり始めました」

北朝鮮は二千六百万人の国民に十分な食料を生産できたことがない。二〇二〇年一月に国境を閉鎖すると、中国からの穀物だけでなく、食料の生産に必要な肥料や機械の輸入も止まった。

一方で、国境をフェンスで強化した。警備隊は越境しようとする人を射殺するよう命じられているとされる。これにより、多くの国民が利用する闇市場で売る食料を密輸入することが、ほぼ不可能になった。

北朝鮮北部の市場で商いをしている女性ミョンスクさんは、地元の市場にはかつて商品が並び、その四分の三近くが中国からの輸入品だったが、「いまは空っぽ」だと語った。

ミョンスクさんも、密輸品を売って生計を立ててきた他の人たちも、収入のほとんどを失った。家族がこれほど食べ物に困っているのは初めてだと、ミョンスクさんは言う。最近は、あまりに腹をすかせた人たちが彼女の家のドアをノックし、食べ物を分けてほしいと訴えてくると話した。

ピョンヤンのジョンさんは、生活に行き詰まって自宅で自殺したり、山に入って死んだりした人の話を耳にしたと述べた。

ジョンさんはまた、子どもたちを食べさせるのに必死だと話した。二日間食事を取れなかった時には、寝ている間に死んでしまうのではないかと思ったという〉

## 北朝鮮の国内事情を理解するための三つのキーワード

二〇二三年二月の時点で、すでに平壌以外の全国で食糧不足のため餓死者が多数出ていた。山間部だけでなく韓国に近い古都の開城《ケソン》でも毎日数十人の餓死者が出ているため、金正恩が無償で食糧を配れと命じたという報道が韓国であった。

〈情報筋によると、近ごろ開城では毎日数十人の餓死者が出ている。厳寒も相まって暮らしが立ち行かず、自殺者も多いとされる。

報告を受けた金正恩氏は、先月中旬にようやく幹部を開城に派遣した後、同市を対象に「二月から食糧を国定価格の半分で配給すること」と指示した。だが混乱が深まったことから、先月末に側近を現地に送り、「無償配給」に変更したという。

北朝鮮メディアが「愛国米の献納運動」に言及することも増えた。農民に献納を呼び掛けたり、地方や中央機関幹部の穀物献納のニュースを伝えたりしている。

韓国政府当局は、北朝鮮が金正恩氏の指示で昨年末、市場を締め出して穀物の生産と流通を統制する「新糧穀政策」を打ち出して以降、食糧調達に深刻な問題が起きているとみているようだ〉(『聯合ニュース』二〇二三年二月六日付)

この『聯合ニュース』の記事には北朝鮮の現在の食糧危機を理解するために押さえ

ておくべき重要なキーワードが三つ含まれている。しかし、これを書いた記者は北朝鮮事情を深く知らないようで、解説が不足している。私が解説しよう。

まず、「配給」だ。「二月から食糧を国定価格の半分で配給すること」とし、その後「無償配給」に変更したとされるが、そもそも、九〇年代半ば以降、平壌と軍人、党、治安機関、行政を除いた一般住民への配給は、ほぼ止まったままだ。そのため、一九九〇年代後半、約三百万人が餓死したが、その後、住民らは配給に頼らず、チャンマダンでの商売などによって生きてきた。

なお、配給といっても無償ではなく国定価格で買うことになるが、国定価格はチャンマダンの約百分の一程度に安かった。記事のように開城で「国定価格の半分で配給」したのに混乱が深まり、「無償配給」に変更したことが事実なら、「新糧穀政策」によって国定価格がかなり引き上げられたのだ。

二つ目のキーワードは、その「新糧穀政策」だ。記事では「金正恩氏の指示で昨年末、市場を締め出して穀物の生産と流通を統制する『新糧穀政策』を打ち出し（た）」と書いているが、正確に言うと、新糧穀政策は二〇二二年九月二十五日、労働党政治局会議で決まった、穀物の買い上げと流通における不正を取り締まる政策だった。同会議では「党と国家の糧穀政策執行を阻害《そがい》する現象との闘争」が強調された。

不正の取り締まりを厳しくするのと同時に、協同農場から買い上げる価格と配給時に支払う国定価格を引き上げた。しかし、全体の量が足りないのだから、買い上げ価格を引き上げたところで、配給ルートに乗る量が確保されるわけではない。

コロナウイルスのため中朝国境が閉鎖され、肥料やビニールなどの資材の輸入が途絶えている中、干ばつと集中豪雨の被害も重なり、二〇二二年秋のコメとトウモロコシの収穫は大変不作だった。反体制行為を取り締まる国家保衛省でさえ、二〇二二年秋の収穫で必要量の六割しか確保できず、二〇二三年六月になると主食配給が止まるかもしれないといわれていたが、後述のように、その通りになった。

その不作報告を受け金正恩は、兵士に食べさせる食糧が不足してもチャンマダンには常時、コメとトウモロコシが並んでいることを問題視し、幹部らをはじめ農民たちが食糧を横流ししているとして、その取り締まりを厳格化したのだ。

確かに、地方の党、治安機関、行政幹部らは権力を使い、かなりのコメを不正に確保していた。北朝鮮は社会全体に賄賂《わいろ》が組み込まれており、横流しをする末端幹部は、それを見逃してもらうために中間幹部にコメを贈り、さらに、見逃してもらうために最高幹部らにコメが集まるのだ。

協同農場の農民も自分たちの食べる量を確保しないと餓死するので、収穫作業が始まる前に夜中に穀物を盗んで隠している。稲穂を手でしごいて米を盗むのに、北朝鮮製のゴム手袋はすぐ破れるから、ヤミで売られている韓国製ゴム手袋が人気だという。いくら取り締まりを厳しくしても、みな、生き残るために必死でコメを確保しているので、国家の配給ルートに乗せるために買い上げた量はそれほど増えなかった。

そこで、二〇二二年十一月から、チャンマダンでのコメとトウモロコシの販売を全面的に禁止した。コメとトウモロコシを売るところを摘発されると、全量を「愛国米」として没収される。だから、米屋はチャンマダンから姿を消し、隠れて少量ずつの密売を続けている。

都市住民は配給に頼らず、チャンマダンでコメなどを買って生きてきた。通常、コメなどの値段が安い秋に家族が一年食べる量を買っておく。余裕がある者はそれ以上の量を安く買っておいて、値段が上がる夏にチャンマダンに出して差益分を得る。まとまった現金を準備できない貧困層は、それができずに食べる量だけをチャンマダンで買う。その層が米やトウモロコシを買えず餓死しているわけだ。

## 住民の不満は限界へ

三つ目のキーワードは、「愛国米の献納運動」。

配給に回すコメとトウモロコシが絶対的に不足している中、二〇二三年一月には、まず農民らに、二月からは幹部を含む全人民に強要されたのが、「兵士らに食べさせるためにコメを無償で寄付せよ」とする「愛国米の献納運動」が始まった。米国の対北朝鮮ラジオ放送局である「自由アジア放送」が二月八日、その実態を次のように伝えた。

〈咸鏡北道《ハムギョンブクト》富寧《プリョン》郡のある住民消息筋は六日「一月から始まった『愛国米献納』運動が絶頂に達している」として「二月に入って労働党が新聞、放送と学習講演会を通じて『愛国米献納』を訴えていた段階を超えて、全ての住民と既存世代に『愛国米』を献《ささ》げることを強要している」と伝えました。

消息筋は「企業所の朝の朝会のときごとに初級党書記がそれぞれの従業員が献げた

『愛国米』の数量を公開し、まだ『愛国米』を献げていない従業員が『愛国米』を早く献げるように強要している」として「商売ができないため生活が困難な絶糧世帯ではない以上、全ての従業員が二キログラムの『愛国米』を献げよという内容が通報された」と説明しました〉

カネがあれば、コメはヤミで買える。しかし、そのカネがない中、必死で食べ物を確保し、家族を養っている。それなのに義務的に出勤させられている工場では毎日、愛国米を出せといじめられる。

その頃、金正恩は太った娘を連れて連日のようにミサイルを発射していた。娘だけにはたらふく食わせ、餓死直前の俺たちにまだコメを出せと命令しているとして、住民の体制への不満は高まるだけ高まっている。

二〇二三年二月二十六日から三月一日まで中央委員会総会が開かれ、食糧問題が討議された。通常は年一～二回しか開催しない中央委員会総会を、前回の十二月末から二カ月ほどで再び開いた。それだけ北朝鮮の食料難が深刻で、喫緊《きっきん》の課題であることをうかがわせる。

ところが、そこでは何も新しい対策は示されず、精神論だけが強調された。

金正恩は「全党に強力な指導体系が確立しており、全人民の団結した力がある限り、不可能なことはないと述べ、社会主義建設の全面的発展のために、わが国家の自存と人民の福利のために今年の穀物生産目標を必ず達成し、農業発展の展望目標を成功裏に達成しようと熱烈に呼びかけた」(『朝鮮中央通信』二〇二三年三月二日付)。

二〇二二年はじめ、金正恩が「農村革命を起こせ」と指示したとき、党と政府の農業部門では協同農場を解体して、一定量を国家に納めることを条件にし、それを超える収穫は個人が処分できる個人請負制度を導入することを検討したという。しかし、それを始めるにしても肥料や資材が絶対的に不足している状況では、大部分の地域で収穫が国家に納める量に達しないだろうという分析がなされ、取りやめになったと聞く。農業部門は八方塞《ふさ》がりで打つ手がないと嘆いていたらしい。

そこで打ち出されたのが先に説明した「新糧穀政策」だが、それも失敗し、いま飢える住民から食糧寄付を強要するしかない状況に追い込まれ、党の会議でも精神論を強調する以外に何もできなかった。

二〇二三年一月、北朝鮮当局が海外駐在の外交官、貿易関係者に二十三万トンの食糧を緊急調達せよと秘密裏に指示を出した。ところが、そのための外貨は送ってこず、知り合いの海外業者や政府関係者らに実情を説明し、食糧寄付を求めよ、という指令だという。当然のことだが、食糧はほとんど集まらなかったという。

それとは別に政府に二十六万トンの食糧を緊急輸入せよ、という指示が下った。支払いは経済制裁が解除された後に石炭や鉄鉱石など現物で払うという条件だったが、こちらもほとんど輸入できていない。

中国には繰り返し緊急食糧支援を要請したが、無償支援は断られた。有償での輸入についても、中国も二〇二二年秋の収穫が不作だったこともあり、三月にならないと二〇二三年のコメ需給の統計がそろわないので、そのときにどのくらい北朝鮮に出せるか通報すると言われたが、三月に入っても満足な回答を得られず、結局、支援は来ていない。

## 金正恩と娘が憤怒の対象に

一九九〇年代後半、三百万人以上の餓死者が出た「苦難の行軍」時期にも政権を支える党、政府、軍、治安機関幹部への食糧供給は支障なく行われていた。それに比べて今回の食糧危機は、政権の崩壊につながりかねない、より深刻なものとなっている。

二〇二三年四月には米国大統領が北朝鮮政権を終わらせてくれるらしいという噂が拡大し、国家保衛省が取り締まりに乗り出したという一幕があったという。

尹錫悦《ユンソンニョル》大統領が四月に国賓として訪米し、北朝鮮の核ミサイルに対する米韓同盟による拡大抑止強化についてバイデン大統領と話し合った。四月二十六日の両首脳の会見でバイデン大統領は、北朝鮮が核兵器を使えば北朝鮮政権は終焉《しゅうえん》すると発言した。

四月二十九日、金与正副部長が朝鮮中央通信社を通して米韓首脳を激しく非難する声明を発表した。朝鮮中央テレビでは、その全文をアナウンサーが読み上げた。声明には次の一節があった。


〈敵国の統帥《とうすい》権者が全世界が見守る中で「政権の終焉」という表現を公然と直接使ったことである。これを老いぼれのぼけと見るべきか。

米国の安全と将来に対しては全く責任感がなく、自分に残っている任期二年だけを満たそうとしても負担が大きい、未来のない老いぼれの妄言《もうげん》であるとも言える。

しかし、最も敵対的な米国という敵国の大統領が直接使った表現という事実、これはわれわれが容易に見逃せない、あまりにも途方もない後の暴風を覚悟すべき修辞学的威嚇である〉

それを聞いた多数の北朝鮮住民らの中で「米大統領が北朝鮮政権を終わらせると言ったようだ、早くやってほしい」という話が急拡大し、保衛省が取り締まっているというのだ。

同じ頃だが、ある脱北者人権活動家のところに届いた平壌の党中堅幹部の話を紹介しよう。

「今、朝鮮内部は見えない戦争をしている。中央の国家保衛省には毎日全国的にビラや落書き、秘密会合など反体制事件の報告が上がってきている。四月の一カ月で摘発された反体制事件はなんと千件だ。保衛省は中央と地方で二十四時間非常勤務に入っている」

反体制事件が一カ月で千件とは、ちょっと信じがたいが間違いないという。それどころか、これは国家保衛省に報告された件数だから、実際にはもっと多いはずだという。落書きやビラ（手書きではなくパソコンを使って印刷されたもの）、小規模反体制会合のほか、保衛員、安全員、党・行政機関の幹部が襲われる事件が頻発している。三〜五人の小規模な反体制組織が全国にできつつあるという。現在、中央と地方の保衛員は二十四時間態勢で警戒しているとのことだ。

落書きの内容について、その脱北者人権活動家は私に次のように話した。

「金正恩の娘が公式行事に登場してから全国的に口にすることがはばかれるような険悪な落書きがあちこちで見つかっている。金正恩が再び太りだし、娘も太っているので、人民から見ると憤怒の対象のようだ。そして、人民経済が破綻しているのに偵察衛星という名のミサイル撃ち上げているので、人民の失望はとても大きい。朝鮮の人々の誰もが希望を持っていない。いつ滅亡するのかという考えばかりだ」

韓国の国家情報院北朝鮮の食料難が深刻化し、餓死者、自殺者が急増し、凶悪犯罪も二〇二二年の三倍に増えたと報告した。聯合ニュース（五月三十一日付）を引用する。

〈韓国情報機関の国家情報院は［五月・西岡補以下同］三十一日の国会情報委員会で、北朝鮮の食料難が深刻化し、餓死者が例年の三倍に急増したと報告した。同委の与党幹事が伝えた。

国情院は北朝鮮のトウモロコシの価格が昨年一～三月期より約六割、コメの価格は三割上昇し、金正恩政権発足後で最高を記録し、餓死者が例年の三倍に達し、自殺者も昨年より四割ほど増加したとの見方を示した。

また「凶悪犯罪が昨年同期の約百件から三百件ほどに増加し、物資を奪うために手製爆弾を投げつけるなど大規模な組織化した犯罪も発生している」と報告した〉

北朝鮮では自殺者は少なかった。党に対する裏切り者とされ、残された遺族が迫害されるからだ。しかし、最近の食糧難で将来を絶望して家族全員で自殺するケースが増えているという。また、ここでいわれている手製爆弾とは、鉱山から横流しされた爆薬などをチャンマダンで買ってつくる爆弾のことで、数年前から安全員や保衛員の住む住宅に爆弾が仕掛けられる事件が起きていたが、最近私製爆弾によるテロ事件が増えているようで、爆薬の横流しや販売が厳しく取り締まられるようになったという。

ついに、暴動が起きたという情報もある。マグネサイト鉱山で除隊軍人の暴動が発生したというのだ。二〇二三年六月九日頃、北朝鮮咸鏡南道《ハムギョンナムド》端川《タンチョン》市のマグネサイト鉱山で軍を除隊後、鉱山労働者に配置されていた除隊軍人ら二百から三百人が集団で暴動を起こした。同鉱山は二〇二〇年八月、台風による水害被害を受け、まだ復旧していないため物資供給がほぼ止まったままだ。食糧悪化による飢餓が原因という。鉱山で使われるつるはし、スコップなどを手にして集団で待遇改善を求める抗議を行い、安全員（警察）に激しく抵抗したが鎮圧された。除隊軍人と安全員の双方に多数の死傷者が出たという。

## 新しい「苦難の行軍時代」

食糧難はいよいよ深刻度を増してきた。地方では現金収入のない家庭で餓死者が続出、人民軍将校、保衛員、安全員は家族の配給が二〇二二年秋に、本人への配給も六月に止まった。兵士は少量の食事しか食べられず、栄養失調が蔓延している。平壌でも中心地域以外は配給が止まった。平壌市には十九区域、四郡あるが、そのうち十三区域、四郡では食糧供給が止まった。中心部の六区域（中《チュン》区域、普通江《ポトンガン》区域、牡丹峰《モランボン》区域、船橋《ソンギョ》区域、大同江《テドンガン》区域、万景台《マンギョンデ》区域）では配給があるが、それも六月から七月に止まったという情報もある。

脱北者人権活動家の金聖玟《キムソンミン》自由北韓放送代表は、二〇二三年七月、平壌《ピョンヤン》と地方にいる通信員（情報源）と極秘で連絡を取り、餓死者続出という最新の北朝鮮情勢を私に伝えた。七月中旬に私が別の情報源から聞いた新情報を加えて報告する。

・北朝鮮の食糧配給制は一九九〇年代末、二〇〇〇年初めに完全崩壊している。

・二〇〇二年七月の経済改革によって食糧の国定価格を現実化　米一キログラム当たり、八銭（〇・〇八ウォン）から四十四ウォンにすることで、従来の無償に近い配給制を適切な価格の配給制に転換した。しかし、むしろ穀物中心のチャンマダン（市場）を活性化させ、トンジュ（新興富裕層）の役割が強調される状況がもたらされた。この時も平壌市民を除く北朝鮮住民は、正月、金日成主席と金正日総書記の誕生日に無償で供給される若干の食糧を供給されただけで、配給を受けていない。

・二〇二一年一月の第八回党大会以後、新糧穀制度を導入した。食糧価格と流通を国家が統制、管理する目的で全国に糧穀販売所を設置し、市場価格より二〇～三〇％ほど安い価格で食糧を供給するとした。しかし、制裁、コロナなどの影響で食糧危機が加重し、生産されるすべての糧穀を軍と保衛省、平壌市中心区域に集中させたことから、二〇二一年から二〇二二年中旬まで地方では地域ごとに異なるが、一カ月に五キログラム程度の食糧しか販売所を通じて家庭に供給されていない。

・二〇二三年一月～六月頃まで全国の糧穀物販売所が役割を果たせていない。平壌市でも大部分の地域で糧穀販売所の食糧供給ができなくなった。平壌市には十九区域、四郡あるが、そのうち十三区域、四郡では糧穀販売所の食糧供給が止まった。中心部の六区域（中区域、普通江区域、牡丹峰区域、船橋区域、大同江区域、万景台区域）の糧穀販売所だけが機能を果たしていたが、二〇二三年五月から平壌市中心区域の糧穀販売所も閉鎖されているという情報もある。党中央をはじめとする高位公務員には国家が運営している高位級供給所（二号供給所）で食糧を正常に供給している。二〇二三年六月から、それも止まったという新情報がある。

・全国民が市場に依存してその日暮らし、その日に稼ぎ、それでぎりぎり食べているが、道党、道人民委員会幹部らは三号供給所で食糧を配給されている。軍将校や保衛員、安全員は二〇二三年五月まで食糧供給（一日七百グラム）を受けていたが六月にそれも止まった。その家族（一人一日五百グラム）は二〇二二年十一月頃からもらっていない。一部の中央機関、工場では独自に食糧を購入、配給している。

・総合的にいうと、北朝鮮の新しい「苦難の行軍時代」は現在進行形で、平壌市でも餓死、病死、冬の凍死者が続出している。

治安機関員（安全員、保衛員）への配給が次第に乏しくなる中、彼らも家族を食べさせなければならないから、チャンマダンに行って商人に難癖《なんくせ》をつけて商品を没収し、自分の懐に入れる行為を頻繁に行うようになる。それに対して、もともと配給がなく、食うや食わずで必死で商売で食べている住民らは治安機関員に復讐する事件が頻発している。

二〇二〇年十一月頃、市場の商人らが安全員に抵抗して暴行を加える事件が頻発し、金正恩が武器使用を命じた。

清津《チョンジン》、順川《スンチョン》、咸興《ハムフン》、平城《ピョンソン》、沙里院《サリウォン》で最近、コロナを名目にしてチャンマダンで取り締まりしていた社会安全員が商人たちによる集団暴行に遭って危篤、意識不明などになる事件が頻発。また、平壌では保衛員の家族が暴行される事件が起きた。

金正恩が組織指導部を通じて「無秩序を統制できなければ深刻な状況になりかねな

い。そのために国家保衛機関は社会に集団的に抵抗する無秩序に対して武器を使用してもよい」と緊急命令を下した。

同じ頃、全国で安全員が襲われる事件が頻発した。咸鏡北道清津市青岩《チョンアム》区域の安全部の捜査課長と指導員が夜に怪しい男の襲撃を受けて重態に陥った。平安南道順川市で取り締まりをする安全員らが白昼に集団暴行を受けた。黄海道《ファンヘド》地域で安全機関、保衛機関の職員らが命の脅威を受ける大小の事件が頻発した。両江道《リャンガンド》恵山《ヘサン》で大規模な金塊密輸事件が発生し、軍隊と保衛部が銃撃戦まで行い、中央党の検閲が入り、都市が封鎖された。銃撃事件や軍・治安機関の脱北事件が二十件以上発生、中央から派遣された検閲団もテロを恐れて適当に取り調べをせざるを得ない。

平壌、南浦《ナムポ》、平城、清津などでコロナウイルス防疫を理由にして都市封鎖を行ったが、実は内部統制ができなくて反乱事件の兆候が爆発的に増えているために封鎖したという。治安は悪化し続けている。二〇二三年になっても朝起きると道に安全員や保衛員が大けがをするか、殺されて倒れているという事件が頻発し、彼らも夜九時以降は外出を控えるという。

# 3章

# 実は平壌はクーデター前夜

## ——金正恩時代は終わった!?

## 大規模な反体制ビラ事件

二〇二一年五月、北朝鮮の首都平壌で反体制ビラが撒かれる事件が起きた。韓国から風船で飛ばされたビラではなく、北朝鮮の反体制組織が行ったビラ散布と見られ、北朝鮮当局は極度の緊張状態におかれた。

ついに反体制組織が平壌で公然と活動を開始したわけだ。

第一報は五月十七日の米国政府系の対北ラジオ局「自由アジア放送」のホームページに掲載された「北朝鮮当局、平壌市で出所不明のビラが発見され当惑」というニュースだった。同放送は北朝鮮向けに送信したニュースの音声と原稿の朝鮮語原文と英訳版をホームページに掲載する。ニュースでは、北朝鮮住民が電話で話す肉声を、音質を加工して流していた。報じたのは、同放送ソウル支局の金ジウン記者だ。放送を聞くと、イントネーションから北朝鮮出身者だとわかる。主要部分を拙訳で紹介する。

〈平安南道《ピョンアンナムド》のある住民消息筋は十四日、「数日前に平壌で当局を非難するビラ事件が発生し、司法当局が一斉調査を行っている」とし、「当局はビラを拾った住民にその内容については一切、口を閉ざすよう指示したが、ビラ散布のニュースは住民の中に広まっている」と、自由アジア放送に伝えました。

消息筋は「今月十日、平壌市郊外の寺洞《サドン》区域で不審な事件が発生し、平壌市内は非常に騒然としている」とし、「その日の朝、夜が明けるにつれ発見されたビラは、将《チャン》泉《チョン》協同農場の畑や住民居住地域の住宅街に大量に散布され、白く散らばっていた」と証言しました。

住民の証言「三日前に平壌でビラが撒かれたのは寺洞区域。そちらにあるじゃないですか、将泉。寺洞で……どれだけたくさん撒いたのか、真っ白に落ちて三日間、一枚一枚、全部回収して燃やしました。どれほど痛快に書いたのか、金正恩時代は終わった、滅びた。上の幹部たちは嫌でしょう。一般住民には現実的に正しいのですが……」［以上は変声された肉声・西岡補］

消息筋はまた、「夜通し撒かれたビラを回収するために、寺洞区域の安全部と近隣部隊の軍人まで動員された」とし、「一部ビラは農場員が住む一戸建ての屋根の上に散らばっており、兵士が屋根に上がってビラを回収するのに大騒ぎになった」と説明しました。

これと関連し、平壌のある幹部消息筋は「今回、平壌市内に散布されたビラは、以前南朝鮮が撒いたビラとは違い、ビニール紙ではなく低質の朝鮮紙に印刷されたものなので、さらに大きな波紋を呼んでいる」とし、「外部（韓国）から飛んできたビラはビニールが貼られた（コーティングされた）高級紙に印刷されていたが、今回撒かれたビラはビニールが貼られていない一般の紙で印刷状態もやや粗《あら》くなっている」と話しました。

消息筋は「保安部、保衛部など司法当局が総動員され、ビラの出所を突き止めるために集中的に調査を行っている」とし、「ビラの内容は『金正恩時代は終わった』『金正恩のために働かず自分自身のために働こう』『我が国は開放してこそ豊かに暮らせる』『金与正は悪種』など、非常に敏感で体制を脅《おびや》かすスローガンが主流になっている」と指摘しました〉

韓国の専門家や脱北者人権活動家に聞いても、これまで反体制落書きや韓国から風船で飛ばされたビラが発見されることはあったが、平壌で大規模な反体制ビラ事件が起きたのは、これが最初ではないかという。

寺洞区域は、平壌の中心部から少し東に離れた郊外だ。そこでは大々的な住宅建設工事が行われていた場所だ。二〇二一年三月、金正恩が起工式で演説を行い、五年間で五万戸、年間一万戸の住宅を建設すると宣言した。全国各地から労働者が突撃隊として集められ、軍の工兵部隊とともに連日、突貫《とっかん》工事を進めていた。国を挙げて行っている工事現場で反体制ビラが撒かれたとすれば、まさに金正恩体制への正面からの挑戦だ。

## 経済制裁の効果は明らか

脱北者が運営する対北ラジオ局の自由北韓放送の金聖玟《キムソンミン》代表は、自由アジア放送の記事に接し、平壌の複数の情報源に確認をしたとして、二〇二一年五月二十七日に次のような情報を私に伝えた。

〈誰もビラそのものを見た者はいないが、みな事件のことは知っていた。だから平壌市内でビラ事件の噂が急拡散していることは事実だ。自分（金聖玟代表）は複数の情報源から聞いた中で、治安関係者から聞いた次の話が一番、信憑《しんぴょう》性があると判断した。

五月初めの深夜に、寺洞区域の住宅建設現場の建設中の十二階建てのマンションの屋上から三百枚のビラが撒かれた。手書きで一人の筆跡だった。そのため、当局は反体制組織によるものとは見ていない。ビラは北朝鮮のA4用紙で防水加工されていないので、韓国から飛ばされた風船ビラではない。内容は五つの主題があった。二つは金正恩への悪口、二つは与正への悪口、一つは体制批判だった〉

以上の情報から、少なくとも寺洞地域で二〇二一年五月上旬、金正恩と与正、現体制を直接非難する反体制ビラが少なくとも数百枚撒かれる事件が起きたことは、ほぼ間違いないと確認できた。

ところが、二〇二二年六月、ビラは寺洞区域だけでなく平壌市内の複数の場所で撒かれたという有力情報が出てきた。六月二日、政治犯収容所出身の著名な脱北人権活動家の姜哲煥《カンチョルファン》氏がＹｏｕＴｕｂｅなどで、次のような情報を伝えた。

〈五月に寺洞地域の反体制ビラ事件とは別の反体制ビラ事件が起きていた。西平壌（西城《ソソン》区域・西平壌駅付近）、東平壌（力浦《リョクポ》区域・東平壌駅付近）、龍城区域各地域の三カ所で同時に撒かれた。三カ所で撒かれたビラがそれぞれ違った〉

私もほぼ同じ内容の情報を入手した。そして、私は平壌につながる、ある韓国の情報源から、ビラは四カ所で同時に撒かれたという次のような具体的な情報を得た。

〈五月七日から八日にかけての明け方、ミソン洞護衛司令部幹部アパート（大城《テソン》区域）で数百枚、黎明《リョミョン》通り高層アパート（大城区域）で数百枚、寺洞区域住宅建設現場で数十枚、西平壌一帯で枚数不明、の四カ所で同時に反体制ビラが撒かれた。「金正男暗殺の背後人物は誰か」「三代にわたり、われわれはだまされてきた」「指導者は世界的なバカ」「人民は栄養失調」などという刺激的な内容。ミソン洞では「人民は決起せよ」という扇動ビラも撒かれた〉

護衛司令部は、金正恩とその家族を守る部隊で最も忠誠心が高いとされていた。ところが、5章で後述しているように、二〇一八年、司令官と政治委員を含む幹部らが処刑され、多数が粛清される事件が発生した。そのときの処分に対し、恨みを持つ者らがビラ散布に関与したのではないかと疑われ、ミソン洞の護衛司令部アパートに住む幹部と家族が多数、取り調べを受けたという。

現段階では真相は完全には分からないが、平壌に住む幹部らの間でも金正恩体制に対する不安や不満が高まっていることは確かだ。

その根本的原因は経済制裁が効果を上げていることだ。経済制裁は漢方薬のようにゆっくりと確実に効果を上げる。特に、北朝鮮に対しては、経済制裁の効果が高い。その根拠が北朝鮮経済の特殊性だ。北朝鮮経済は次の四重構造からなっている。

①計画経済（内閣）
②軍需経済（第二経済委員会）
③金正恩の統治資金（労働党39号室）
④一般住民のチャンマダン（市場）経済

そのうち、経済制裁は③「金正恩の統治資金」をターゲットにしている。北朝鮮の外貨源を断ち、39号室の外貨を枯渇《こかつ》させることが経済制裁の目標なのだ。

金正恩の個人資金は労働党39号室が管理している。北朝鮮は社会主義国だが、政府が管轄する計画経済のほかに39号室資金が存在する。過去、一九八〇年代から九〇年代は、朝鮮総連からの秘密送金がその資金源だった。一九九三年、内閣調査室が調べたところ、九〇年代初め、年間十八億ドルから二十億ドルを総連が送っていたことが判明した。脱税資金と朝銀信用組合を使った公的資金の横流しがその財源だった。

第一次安倍政権になり、拉致問題への政府方針に「厳格な法執行」が入り、警察と税務署が動き、その頃からほぼゼロになった。ところが、韓国で金大中《キムデジュン》、盧武鉉《ノムヒョン》の二代十年の親北左派政権ができ、ドルやコメ、肥料を大量に北朝鮮に送り、39号室資金を確保することができた。

ところが、李明博《イミョンバク》、朴槿恵《パククネ》政権で韓国からの支援が大幅に減り、二〇一七年にトランプ大統領と安倍首相がリードし、国連安保理で北朝鮮の輸出の九割をカットするという、かつてない厳しい制裁が実施された。それまで三十億トルくらいあった輸出がコロナ前の二〇一八年に三億ドルまで激減した。コロナによる国境封鎖で輸出はほとんどできなくなった。その結果、ついにこれまで四十億〜五十億ドルだった39号室資金がほぼなくなった。

二〇一九年十月には、労働党中央委員会副部長以上に毎月支給されていた外貨（ドルかユーロ）さえ止まる事態になった。同じ頃から一部例外を除く北朝鮮の在外大使館は本国から経費や給料が送ってこず、自給自足と外貨の上納を求められている。それで、西側情報機関に毎月、外貨提供を受ける代わりに情報を提供している外交官が多数摘発された。英国大使館では外交官夫人がキムチをつけて在英韓国人の商店に卸《おろ》し、生活費を稼いでいる。中国瀋陽の総領事館では夫人らがもやしを栽培して市場で売っており、外交官や工作機関員の男はサウナで三助をしてカネを稼いでいる。

## 39号室の金正恩・統治資金が枯渇

39号室の統治資金が枯渇していることが分かるおかしな事件があった。

二〇二二年十一月、米国東海岸まで届く大陸間弾道ミサイル火星17の試射が成功した。移動式の発射台から撃たれた。金正恩はとても喜び、その移動式発射台になんと英雄称号と勲章を授与した。

その頃、私は金正日が「ミサイル移動式発射台を二百台つくれ」と命令したという情報を入手した。国産できない大型タイヤを中国から密輸し続けているというのだ。

中国は大型タイヤを無償では提供していない。ところが、経済制裁の成果で北朝鮮は大変な外貨不足に陥っている。金正恩の統治資金を扱う労働党39号室にもドルがないので、金の延べ棒を支払いに使っているのだ。そのことがわかる事件が二〇二二年十一月末に起きた。自由アジア放送は同年十一月三十日、「平壌に上っていく金塊奪取事件発生」という記事で次のように報じた。


〈北朝鮮の新義州《シニジュ》—平壌間一号国道から中央に向かって運ばれていた金塊が強奪される事件が発生し、北朝鮮全域が非常事態になったと現地の消息筋が明らかにしました。

（略）

平安北道《ブクド》のある消息筋は二十七日、「最近、新義州一帯は国家保衛省と安全省の調査班が降りてきて大騒ぎになった」とし、「今月中旬、新義州—平壌間一号国道で金運搬車両が強盗の襲撃を受けた」と自由アジア放送に伝えました。

消息筋は「運搬車には党の中央に上がっていく金塊二百キログラムがあった」とし「顔を隠した三人の強盗が金塊を積んだ車が停車した時不意に襲撃し、金が入っていた箱を奪取して逃走した」と語りました。

消息筋は続けて、「金運搬車には二人の武装軍人が乗っていた」とした上で、「しかし、迅速に武装軍人を制圧した強盗の行動から、犯人が軍隊で特殊訓練を受けたものとみられ、武装軍人も手をこまねいてやられたという証言が出た」と強調しました〉

この事件は韓国『中央日報』などによって伝えられ、日本でも関係者の関心を集めた。しかし、この記事は正確ではなかった。私は次のような真相を聞いた。

真相は強奪事件ではなく、走行中に車から金の延べ棒が落下し、住民らがそれを拾って隠匿《いんとく》しているというものだった。

二〇二二年十一月中旬、党39号室は金の延べ棒二百本、二百キログラムを平壌から新義州に国道一号線を使い、車で移送しようとした。大型タイヤや平壌住宅建設用資材など金正恩の肝いり事業に必要な輸入品の支払いにあてるためだった。すでに党39号室では外貨が枯渇しており、金の延べ棒を支払いに使おうとした。金塊は平壌に運ばれていたのではなく、平壌から中朝国境の新義州に向かっていたのだ。

国道一号線は平壌から安州までは舗装されているが、安州から新義州は、以前は舗装されていたが、アスファルトの状況が悪く、満足に通行できず、舗装を剝《は》がして土の道路に戻していた。そのため、雨が降ると水たまりができて、でこぼこが激しく車の揺れがひどかった。金の運搬に使われた車は最近導入された中国製だったが、ひどい揺れのため後ろの車軸が曲がってしまった。そのため金の延べ棒が車の後部にぶつかり穴が開き、次々と道路に落下した。

平安北道宣川《ソンチョン》郡から東林《ドンニム》郡までの十キロメートルくらいの間に二百本すべてが落ちた。住民らがそれを拾って隠匿した。運転手らはそれに気づかなかった。

当初、運転手や護衛の軍人は自分たちが不注意で金塊の落下に気づかなかったことが発覚すると厳罰を受けると思い、強盗事件をでっちあげて届けたが、社会安全省が捜査したところ、落下事故であることがわかったという。自由アジア放送はでっち上げられた強盗事件をそのまま報じた。

社会安全部の名前で地域住民らに拾った金の延べ棒を返還するように布告を出し、回収作業を続けているが、ほとんどの金の延べ棒が戻ってきていないという。私はその布告文の写真を入手した。そこではほとんどが回収されたとされているが、それは嘘だという。

## ありとあらゆる犯罪行為と反社会的行為がまん延

二〇二二年十二月九日、私たち家族会・救う会・拉致議連は、北朝鮮人権週間に合わせて「緊張する朝鮮半島情勢下での全拉致被害者救出」国際セミナーを開催した。北朝鮮人権週間とは、二〇〇六年に制定された北朝鮮人権法によって「国民の間に広く拉致問題その他北朝鮮当局による人権侵害問題についての関心と認識を深めるため」に設けられた法定行事であり、私たちは毎年、拉致問題をテーマにした国際セミナーを開催している。この年は金聖玟《キムソンミン》・自由北韓放送代表に基調講演をお願いした。金聖玟氏は最近、北朝鮮から入手した内部文献を多数引用しながら、金正恩政権は末期を迎えていると主張した。

その根拠は、北朝鮮社会が末端から病んでいることだ。自由北韓放送が二〇二二年七月に入手した『反社会主義、非社会主義的行為を制圧消滅させるための闘争に、一致協力して奮い立つことについて』と題する政治学習用の文献には、次のような記述がある。

〈今、不純出版宣伝物に夢中になって傀儡《かいらい》の言い方を真似したり、従ったりする現象が青少年の中で見られるようになり、殺人、強盗、麻薬使用、性不良行為をはじめとする犯罪行為も頻発し始めている。

その他にも不純出版物視聴、賭博《とばく》、集団喧嘩、偽造貨幣の製造密売、高利貸し、密造酒、偽医薬品と偽商品製造、ヤミ医療、トラックを使うヤミ商売、離婚現象、事実婚生活など反社会主義、非社会主義的行為が社会生活のあらゆる場面において、さまざまなかたちで愚かにも行われ始めています。

かつて一部の人間によって人目につかないよう慎重に行われてきた行為が、今は社会のあらゆるところで、どこでも起こり得る慢性的な現象になり、反党的、反国家的性格まで帯びていることから、厳重性と悪影響がさらに浮き彫りになっています〉

ここから二つの事実がわかる。まず、国の未来を背負う青少年の間で、ありとあらゆる犯罪行為や反社会的行為がまん延しているということ。犯罪行為として、殺人、強盗、麻薬使用、性不良行為、また、賭博、集団喧嘩も挙げられている。組織暴力団のような集団犯罪が青少年の間に広がっているのだ。貨幣や薬、酒、商品など、ニセ物が次々に製造されていることもわかる。「ヤミ医療」とは、医者やニセ医者が自宅などでカネを取って診療することを指す。北朝鮮では無償医療が建前なので、医者はみな国営病院に所属し、個人医は営業を認められていない。

トラックを使うヤミ商売とは「車販商売《チャパン》」と呼ばれるもので、トラックをさまざまな方法で買ったり、借りたりして、商品を積んで地方を回って高く転売することを指す。新型コロナウイルス禍の前には、脱北者が北朝鮮に住む家族にまとまったカネを送金して中古の中国トラックを一台買わせれば、一家が食べていけると言われていた。

性の乱れもひどいようだ。「離婚現象」とは、労働党の許可なく勝手に離婚してしまうことを指す。また、「事実婚生活」とは、その反対に党の許可なく勝手に結婚してしまうことだ。

## どんどん浸透する韓国文化

文献からわかる二つ目の事実は、韓国文化の浸透だ。

引用部分の冒頭に「今、不純出版宣伝物に夢中になって傀儡の言い方を真似したり、従ったりする現象が青少年の中で見られるようになり、殺人、強盗、麻薬使用、性不良行為をはじめとする犯罪行為も頻発し始めている」という文章がある。政治学習では、犯罪まん延の理由を「韓国文化の浸透のためだ」と言っているのだ。

ここで「傀儡」とは韓国のことだ。北朝鮮は韓国を「米帝国主義の傀儡」と罵倒する。「傀儡の言い方を真似している」とされていることは、たとえば恋人同士でお互いを呼ぶとき、従来は「○○トンム」、あるいは「○○同志」などと言っていたが、最近は韓国の若者のように女性が年長の恋人を「オッパ」（お兄さん）と呼んでいることなどを指す。それだけ韓国ドラマの影響が強いということだ。

韓国文化の浸透については、同じ文献に次のような記述があった。

〈二〇二一年、ある市では九千人余りの高級中学生徒が安全機関を訪れ、不純録画物を見た事実を自首し、うち三千人余りの生徒が自ら不純物が入っている記憶器を自分が属している組織に提出しました。二〇二二年も、新たに採択された「反動思想文化排撃法」について解説を聞いた多くの高級中学校の生徒たちが青年同盟組織を訪れ、

過去に自分たちが犯した過ちを自ら打ち明け、許しを受けました〉

不純録画物とは韓国ドラマ、記憶器とはUSBのことだ。北朝鮮は幼稚園一年、小学校五年、初級中学校三年、高級中学校三年の十二年が義務教育とされている。つまり、この文献に出てくる高級中学校は日本の高校にあたる。ある一つの市の高校生九千人が韓国ドラマを見ていたと自首し、三千人が韓国ドラマの入っているUSBを持っていたのだ。

金聖玟氏は、さまざまな北朝鮮社会の実態を内部文献の引用で次々と紹介し、最後に次のように語った。

「住民を外部世界と断絶させて『井の中の蛙《かえる》』にさせた北朝鮮、その狭い兵営国家の中で暮らしている人々を殺人、強盗、強姦と麻薬、偽造貨幣犯にさせた北朝鮮当局者たち。さらに、金正恩は今年だけで、大陸間弾道ミサイルや中短距離ミサイル三十三発を発射しましたが、これにかかった費用は八千億ウォンだということです。このカネがあれば北朝鮮の全住民にワクチンを打つことができ、今年一年間の食糧不足分を補うだけの食料を買うこともできるということなので、本当に『狂った金正恩』に

『狂った北朝鮮』と言わざるを得ません」

## 紙幣がない？　臨時通貨「トン票」を急遽、発行

さらに北朝鮮が二〇二一年九月、紙幣を刷れなくなり、粗末な紙の臨時紙幣を発行したというニュースもあった。

韓国の一部メディアと日本の一部専門家も、臨時通貨（トン票）発行については伝えている。だが、それらはすべて、人民が持つ外貨を吸い上げるために発行した外貨交換のための紙幣と伝えていた。

しかし、私が入手した内部文書「中央銀行のトン票の発行と関連した解説資料」によれば、これらの報道は誤報だ。内部文書はトン票発行の意図について、こう書いている。

〈（略）国の貨幣流通を円滑にして生活上の条件を保障するために、中央銀行トン票を発行する措置を取りました。

中央銀行トン票を新しく発行することに対する国家的措置は民族貨幣制度を強固にし、朝鮮労働党第八回大会が提示した闘争綱領を高く掲げ、社会主義建設に新しい勝利を完遂《かんすい》し、人民生活を安定、向上させるための崇高な意図が込められています〉

「国の貨幣流通を円滑に（する）」とされていることに注目したい。ここで問題とされているのは外貨不足ではなく、国内の貨幣流通が円滑でないということだ。

トン票発行の目的については、こう書いている。

〈（略）多くの企業体が生産活動に必要な内貨需要を充足させることができないので、人民の消費を生活が楽になる水準で活性化できず、党にて一番心を配っている人民生活安定と向上のための事業に難関が造成されているためです〉

つまり、外貨ではなく内貨、すなわち北朝鮮の貨幣が足りないので、満足に生産活動ができず、人民の生活が苦しいから、トン票を発行すると言っている。

では、なぜ、紙幣を増刷せず、トン票を新たに発行するのか。

〈中央銀行トン票はすべてのものが不足し、困難な環境の中で輸入資材ではない我が国の原料と資材でつくったため、中央銀行券より多少質が落ち、使用に不便な点があり得ます〉

北朝鮮は工業力が低いため、紙幣印刷に必要な高品質の紙や印刷資材を国産できない。これまで、それらを中国から輸入してきた。

ところが、経済制裁の結果の外貨不足と、二〇二〇年からの中朝国境封鎖でそれらを輸入できなくなった。その結果、市中に流通する紙幣が不足し、経済活動に支障が生じることになった。それで質の悪い、ペラペラ紙で汚い印刷のトン票を紙幣の代わりに「臨時通貨」として発行することになったのだ。

これまでの紙幣と同じ価値を持つ、一対一で交換すると、次のように強調している。

〈中央銀行トン票は中央銀行が担保して発行している現金と同じ地位を持って発行、流通される臨時通貨であり、現在流通している現金とまったく同じ価値で流通および支払い手段、貯蓄手段などの機能を遂行します。

繰り返し言うなら、新しく発行される中央銀行トン票は、いま私たちが日常的に利用している現金と同じく、どのような制限もなく使用でき、現在利用している現金と自由に交換できます〉

〈中央銀行トン票は一定の期間流通したら、銀行で中央銀行券と一対一で交換してもらうことになります〉

ただし、先述したように紙がペラペラで印刷も粗悪なので、何回か使ったら破れるのではないかと見られており、偽札がつくりやすいという欠点もある。

その点について、こう書いている。

〈すべての公民はトン票が今、使っている中央銀行券より紙がよくないことを理解し、トン票をオカネのカバンに必ず入れて丁寧に清潔に利用し、すぐに汚れたり破損したりさせず、少しでも長い期間利用するように愛国心を発揮しなければなりません〉

〈トン票に仕込まれている偽造防止技法をよく知って、偽トン票が流通しないように

しなければなりません〉
〈すべての公民は中央銀行トン票の利用過程で偽造、変造されたトン票を発見したら、即時に該当法機関と銀行に知らせて、偽トン票が広がらないように注意を向けなければなりません〉

2021年9月に西岡が入手した「トン票」の写真

二〇二一年十月初めの時点で、すでにパソコンなどを使って偽トン票がつくられ、流通し始めているという。

では、このトン票は誰に配られたのか。放っておくと飢え死にするかもしれない最貧階層に、同年九月、一世帯十万ウォン分が無償で配られたという。

ついに北朝鮮は、自国で自国紙幣を印刷することができず、ペラペラ紙の臨時通貨を発行せざるを得ない状態まで追い込まれたのだ。

# 4章

# 朝鮮有事は台湾有事と同時に起きる

## ――中国・ロシアと接近する北朝鮮

## 中国からの極秘依頼があった！

ウクライナへのロシアによる侵略戦争は、多方面で国際情勢に影響を与えた。もちろん北朝鮮もその影響下にある。

私が入手した内部情報によると、ロシア大統領プーチンは開戦前、金正恩と習近平に対して、「一週間以内にウクライナを占領する計画だ」と通報した。ウクライナがこれほど英雄的に抗戦するとは想像していなかったのだ。プーチンが早期に戦争で勝利できると考えていたことは明らかになっているが、北朝鮮内部情報でも、それが裏打ちされたといえる。

その情報によると、ロシアが計画通り一週間で戦争に勝利すれば、中国が台湾との戦争に突入し、北朝鮮人民軍は米軍を攪乱《かくらん》する局地戦を行うことが謀議されていたという。中国は早ければ二〇二二年末か二〇二三年に台湾侵略を計画していた。その作戦にあたって、中国が北朝鮮に対して朝鮮半島で局地戦を起こし、米軍を攪乱してほしいと依頼していたという。

中国の台湾侵略と同時に北朝鮮人民軍は朝鮮半島の西、黄海《こうかい》に浮かぶ西海五島地域（白翎島《ペンニョンド》、大青島《テチョンド》、小青島《ソチョンド》、延坪島《ヨンピョンド》、隅島《ウド》）での局地戦を検討していた。五島を同時に攻める作戦や、その中の一島である白翎島を攻める作戦などが案として挙がっていた。北朝鮮からすると五島は喉《のど》に刺さった〝トゲ〟であり、機会があれば占領したいと狙っていたからだ。

私が入手した以上のような内部情報とほぼ同じ情報を、矢板明夫・産経新聞台北支局長もキャッチしていた。『月刊正論』（二〇二二年六月号）掲載の矢板支局長の発言を引用する。

「ロシア側の内部情報によると、習近平は今秋（二〇二二年）に台湾侵攻することを考えていたと言います。

ウクライナが二、三日で制圧されたら、同じように台湾もやれる、と習近平は選択肢の一つとして考えていたのだと思います。（略）

しかし現在、ロシアは思いのほか苦戦しています。ウクライナの非常に強い抵抗に遭うし、国際社会がこれほどウクライナを支援するとはプーチンも習近平も考えていなかったはずです。習近平の引き出しの中には台湾侵攻のA案、B案……といろいろあると思いますが全部いったん破棄してもう一度計画を練り直す必要があり、それには相当な時間がかかるでしょう。習近平の台湾攻略の野望が今回の失敗・苦戦によって完全に白紙に戻った、ということが中国への最大の影響になるでしょう」

私が入手した北朝鮮内部情報と矢板氏が入手したロシア情報がほぼ一致したので、この情報はほぼ間違いないと言えるだろう。

プーチンの思惑に反して戦争が長引いたため、中国の台湾侵攻も計画修正が不可避となり、北朝鮮も中国の戦争に加担したら、自分たちだけが損害を受けると考えるようになった。つまり、ウクライナの英雄的な抗戦が東アジアの平和を守ったのだ。

金正恩《キムジョンウン》政権はウクライナ戦争に高い関心を持っている。第一の理由は彼らの軍隊がロシアの兵器で武装しているからだ。ロシア軍の戦いぶりは朝鮮人民軍の戦闘力が試されているという側面がある。

開戦当初、金正恩は朝鮮人民軍参観団をウクライナのロシア軍に随行させた。人民軍の偵察総局と総参謀本部から合計二十人程度が派遣されたという。ロシア軍の装備とウクライナに提供された西側の兵器の実戦での状況を検討し、戦争過程を把握し、北朝鮮に適用することが目的だ。

その結果、肩担ぎ型の対戦車ロケット「ジャベリン」やドローンなどによって、ロシア軍が次々と大きな被害を受ける場面が平壌に報告された。

それとは別にウクライナに駐在する保衛省や人民軍偵察総局などの要員が四十人ほどいて、彼らも戦況を逐次、平壌に報告していた。開戦直後に平壌に伝えられた内容は次の通りだという。

ロシア軍兵士らの士気は、きわめて低い。当初は、ウクライナ人はロシア軍を歓迎すると伝えられていたが、激しい抵抗に遭って驚き、そのうえロシア軍の補給が満足になされないことなどにより、士気低下が極大化した。その結果、多数のロシア兵士が戦場から逃げるなどの事態が発生した。逃げたロシア兵士をウクライナ人は虐待せず、むしろ車に乗せて運ぶ、食糧などを与えるなどして助けている。逃亡した兵士らに置き去りにされたロシア軍の車両がなんと約千七百台で、その中には戦車二百台から三百台も含まれる。

それらの報告を聞いて、金正恩と人民軍首脳部は軍事大国と言われていたロシア軍の意外な弱さに当惑した。士気の面でも南北で戦争が始まった場合、北朝鮮軍兵士はほぼ全員、韓国ドラマを見ているので、やはりロシア兵と同じく士気が低く、脱走者が多数出るだろうと恐れている。そのうえ、西側の対露制裁によってロシアからの送金ができなくなった。そのため、ロシアで今も出稼ぎで働かされている北朝鮮労働者の賃金の送金がほぼ不可能になった。賃金の大部分を労働党39号室が取っていたので、それが来なくなり、外貨不足が一段と深刻化している。

金正恩は、人民軍に戦争準備を再度せよと命令した。ロシア軍の軍用倉庫の備蓄物資が軍関係者の横流しのため、かなりなくなっていたという報道があるが、そのことを聞いた金正恩は、人民軍の備蓄物資の検閲を命じた。

私は十年ほど前、戦争備蓄用の石油地下タンクの管理人が石油を盗んでいる、という話を聞いたことがあった。生活が苦しいので、管理人は少しずつ石油を抜いてチャンマダンで売り、生計を維持していたのだ。バレないように抜いた量と同じ量の水を足していた。そのときに、戦争になったら水で薄まった石油を使うので、戦車や装甲車がすぐエンジントラブルを起こすはずだ、と、脱北した元人民軍将校は私に語った。

それから十年近く経って、軍人を含む人々の生活は経済制裁の影響で顕著に悪化した。それぞれが生き残るため、自分が管理している軍や国家の物資を盗むことがいよいよ激しくなっているはずだ。戦争物資の検閲で、また多くの人々が処刑されるのではないか、と暗い気持ちになる。

## 朝鮮戦争参戦を認め、金正恩にウクライナ派兵を求めたプーチン

二〇二三年七月二十七日の北朝鮮の朝鮮戦争「戦勝」七十周年記念閲兵式にあたり、ロシアのプーチン大統領が祝賀演説を寄せた。訪朝したショイグ国防相が持参したもので、朝鮮中央通信が全文報じた（七月二十八日付）。そこに大ニュースが含まれていた。まずその全文を引用する。

〈戦勝節に際して祖国解放戦争での朝鮮人民の勝利七十周年を祝うための記念報告大会の参加者にプーチン大統領から祝賀演説

尊敬する金正恩閣下、

親愛なる友人、

祖国解放戦争（朝鮮戦争）での朝鮮人民の勝利七十周年に際して、心からの祝賀を

送る。

一九五〇年~五三年の苛烈な戦闘で、朝鮮人民軍軍人は最高司令官金日成同志の指導の下で全ての試練を克服し、集団的英雄主義を発揮して祖国の自由と独立を守り抜いた。

数万回の戦闘飛行を遂行した飛行士を含むソ連の軍人も、朝鮮の愛国者と共に肩を組んで戦いながら、敵の撃滅に重みのある寄与をした。

この過程に結ばれた戦闘的友誼の歴史的経験は、高貴な価値を有しており、政治と経済、安全分野において、ロシアと朝鮮民主主義人民共和国の連携をより一層発展させるための頼もしい基礎となっている。

現時代の脅威と挑戦に直面して友好と善隣、相互援助の誇らしい伝統を重んじ、豊かにしていくのは、特別に重要である。

対ウクライナ特殊軍事作戦に対する朝鮮民主主義人民共和国の確固たる支持と、かなめの国際問題におけるロシアとの連帯は、国際法の優位と安全の不可分、国家の自主権と民族的利益の尊重に基づいた真に多極化され、正義の世界秩序の確立を阻害する西側集団の政策に立ち向かっていこうとするわれわれの共通の利害関係と決心を浮き彫りにさせている。
金正恩閣下、
あなたが健康であることと、友好的な朝鮮人民の福利のための責任ある活動で成果を収めることを願う。
全ての記念報告大会の参加者に福利と平和があることを願う〈傍線西岡・以下同〉

傍線部分を見てほしい。プーチンが、

「数万回の戦闘飛行を遂行した飛行士を含むソ連の軍人も、朝鮮の愛国者と共に肩を組んで戦いながら、敵の撃滅に重みのある寄与をした。

この過程に結ばれた戦闘的友誼の歴史的経験は、高貴な価値を有しており、政治と経済、安全分野においてロシアと朝鮮民主主義人民共和国の連携をより一層発展させるための頼もしい基礎となっている」

と語り、ソ連軍が朝鮮戦争に参戦していたことを初めて認めた。これが大ニュースだった。

確かにソ連は多数のパイロットを北朝鮮に送り、中国軍服を着せて中国軍のミグ戦闘機に搭乗させて戦争に参加させた。これは事実だが、これまではその事実は極秘とされ、ソ連政府はもちろん、ロシア政府も参戦を認めたことはなかった。それどころか、参戦を全力で隠蔽《いんぺい》していた。参戦暴露を恐れて、黄海に落ちたソ連パイロットを米軍がヘリコプターで救出しようとしたとき、ミグ戦闘機が現れて銃撃したことさえあったという（R・P・ハリオン『朝鮮半島空戦記』朝日ソノラマ／一九九〇年）。

ロシア政府が公式に参戦を認めたのはこれが最初だ。ところが、日本と韓国のマスコミはこの大ニュースを報じなかった。そこで私がユーチューブなどでスクープとして話し、産経新聞などがその後、大きく扱った。

それではなぜ、このタイミングでわざわざ、それも大統領のプーチン自らが秘密を公開したのか。プーチンは「ソ連の軍人も、朝鮮の愛国者と共に肩を組んで戦いながら、敵の撃滅に重みのある寄与をした」と言っている。ここで言われている敵とは国連軍である。国連安保理事会は一九五〇年六月二十七日、北朝鮮の奇襲南侵を侵略と規定して、国連軍を組織し、「武力攻撃を撃退」することを決めた。ソ連はそのとき、欠席して拒否権を行使しなかった。朝鮮戦争は休戦中だから現在も同決議は有効で、日本には今も国連軍後方司令部がある。

世界の安全と平和に責任がある国連安保理の常任理事国であるロシアは、公然とウクライナに侵略戦争を仕掛けた。国連憲章の明確な違反だ。プーチンはそのことを自覚して、開き直った心情で国連軍に対してソ連軍が戦ったという過去をここで明らかにしたのではないか。

これを目撃した今、もはや、国連による秩序は崩壊したというしかない。ウクライナ戦争でロシアを敗退させ、ロシアと中国を安保理の常任理事国から追放し、新しい国連をつくるしかない。

なお、私が入手した情報によると、同演説を北朝鮮に持参したショイグ国防相は金正恩や朝鮮軍最高幹部らと相次いで面会し、ウクライナ戦争への朝鮮人民軍特殊部隊十万人の派兵を求めたという。七十年前にロシア（ソ連）がお前たちを助けるために派兵したのだから、今回は朝鮮軍がウクライナにきて「共に肩を組んで戦」うべきだという圧力を加える意図がプーチンの祝賀演説にあったのだ。

情報によると、ショイグ国防相は特殊部隊十万人の派兵を求め、北朝鮮側はＳＬＢＭ（潜水艦発射弾道ミサイル）を搭載できる原子力潜水艦か、その建造技術と小麦粉を求めたという。両者にとって相手の要求は簡単に応じることが困難であり、会談の結果がどうなったかは確実な情報がない。

プーチンの要請を受け入れ、北朝鮮は倉庫にしまってある自動小銃を提供することを決めたようだ。ソ連がかつて提供した大量の旧式小銃を北朝鮮は予備として倉庫に保管している。それを提供するという。

しかし、保管されている銃にはストラップがついていない。そこで七月末、北朝鮮政府は全住民に一世帯一本の自動小銃用のストラップの供出を命じたことがわかった。国防色（カーキ色）の布製で厚さ三ミリ、幅四センチ、長さ一・二メートルという指示が出ている。

自宅にミシンがあれば古い軍服などに布を使ってつくることができるが、ない家はチャンマダンで買うしかない。この指示が出た後、チャンマダンのストラップが並び始めた。ミシンを持つ家庭が素早く自家製のストラップを売りに出しているのだ。一本二千～二千五百ウォンという高値で取引されている。ちなみに、現在の北朝鮮の平均賃金は月五千ウォン程度だから、ストラップ一本で、その半分の価格だ。

北朝鮮の人口は約二千五百万人、一世帯五人とすると五百万本のストラップが集まることになる。

それだけ大量の自動小銃が北朝鮮に存在するのかを調べてみると、北朝鮮の各地にある武器庫に予備兵力（予備役《よびえき》が四百七十万人、労農赤衛隊が三百五十万人、赤い青年軍など）のために数百万丁の古い自動小銃が保管されていることがわかった。さび防止のため油を塗り、箱に入れられて保管されている。

当初はそれを出すつもりだったが、ロシアが古い銃を拒否したため、現在使っている新しいモデルを出すことになり、まず十万丁を提供し、軍需工場をフル稼働させ、増産している。

十万丁の代金として、ドルと小麦粉が提供された。八月に入り、飢えた兵士らが小麦粉料理で腹を満たしている。金正恩が八月はじめに、軍需工場を訪問し、「国防経済」などと突然言い出した背景には、ロシアへの武器提供密約があったのだ。

二〇二三年七月末に銃のストラップ上納命令が下ったことについては八月二日、自由アジア放送が伝えている。

しかし、その記事では古くなった朝鮮人民軍の自動小銃のストラップを付け替えることが目的だという北朝鮮当局の表向きの説明だけが報じられ、ロシアへの自動小銃提供については全く触れられていない。

## 北朝鮮とロシアの密約

なお、二〇二二年、朝ロ間ではロシアのウクライナ侵略戦争支援をめぐり、次のやり取りがあった。

ショイグ国防相が二〇二二年三月中旬、中国を訪問し、中国軍関係者にミサイルなどの提供を求めて拒否されているが、そのとき訪朝を打診したが外国人入国を禁じていた北朝鮮がそれを拒否し、朝鮮人民軍代表団が北京を訪問してショイグ国防相と会談した。ロシア側は北朝鮮に特殊部隊参戦とミサイル提供を要請したが、北朝鮮はそれを断った。その代わり、ミサイル発射実験を続けて米国を牽制すると伝えた。

二〇二二年十月一日、ハバロフスクで北朝鮮人民軍とロシア国防省高官の秘密会談が開かれた。北朝鮮からは李泰燮《イテソプ》・総参謀長らが参加したという。

そこで、ロシア側は米国のウクライナへの関心を分散させるため、朝鮮半島で軍事緊張を最高度に高めることと、北朝鮮が保有する放射砲砲弾の提供などを要請し、見返りとして年間十万トンの精製された石油（ガソリン、軽油、ジェット燃料など）、リクライナ戦争終了後に最新鋭スホイ戦闘機を提供すると提案した。

金正恩は石油と最新戦闘機が欲しいので、この提案を歓迎した。北朝鮮は、局地戦はできないが、ミサイル乱射など、それ以外の方法で軍事緊張を高めると約束した。

十一月七日、一日に三十発近いミサイルを乱射するなど、二〇二二年秋以降の常軌を逸した北朝鮮軍の軍事挑発の裏には、この密約がある。海の休戦ラインというべきNLL（北方限界線）を超え、韓国側に撃ち込まれたミサイルは、韓国軍が残骸を回収して調査した結果、ソ連が一九六〇年代に開発し、八〇年代に北朝鮮に入った「くず鉄ミサイル」（韓国・中央日報）だった。くず鉄ミサイルを撃ち、石油をもらうという北朝鮮にとって有利な取引だ。

すでにかなりの量の石油が、ロシアのナホトカ港から船で北朝鮮の羅津《ラジン》港に運び込まれている。ナホトカにはシベリアからパイプラインで石油が運ばれていて、大きな石油タンクに保管されている。燃料不足でこれまで満足に空軍演習をすることができなかった北朝鮮がここにきて、大量の戦闘機を飛ばしているのはロシアから提供されたジェット燃料のおかげという。

また、北朝鮮が提供することになった砲弾は、一九六〇年代から八〇年代まで、ソ連製をモデルに生産した二百二十ミリと百二十ミリ砲弾だ。地下倉庫に長期間保管されていたため、湿気などにより不発が多いことが知られている。そこで、厳密な検査をし、不発ではないと判断されたものだけを密輸していたが、不発や射程未到達が多かったという。

プーチン大統領は戦況が芳《かんば》しくないウクライナ戦争の局面を打開するため、金正恩に急接近しているのだ。世界最貧国の北朝鮮から小銃や砲弾をもらわなければならないくらいプーチンは追い詰められている。

## ミサイル開発はすでに終わった

ロシアのウクライナ侵略戦争が始まった二〇二二年から朝鮮半島でも核をめぐる軍事緊張が高まっている。北朝鮮では二〇二二年末、金正恩が韓国を「明白な敵」と規定したうえで核兵器を幾何級数的に増やすと宣言し、韓国では二〇二三年一月十日、尹錫悦《ユンソンニョル》大統領が「韓国軍が百倍、千倍報復する能力を持つことが攻撃を防ぐために必要」と強調し、「韓国の独自核武装もあり得る」と断言した。二〇一七年秋、米朝が戦争直前まで行って以来、五年ぶりの緊張の高まりだ。

まず、二〇一七年の緊張をざっと振り返ろう。同年九月、金正恩はグアムの米軍基地を射程に入れた「火星12」ミサイルの通常軌道での発射訓練（八月二十九日、九月十五日）と水爆級の威力があった核実験（九月三日）を成功させた。

それに対し、九月二十三日、トランプ大統領はグアム基地から「B－1B戦略爆撃機」を飛ばし、海の休戦ライン（北方限界線）を超え、金正日の豪華別荘がある元山《ウォンサン》のすぐ目の前の海の上で演習を行った。北朝鮮空軍はそれに気がつかず、スクランブル発進をかけられなかった。米軍が心理戦として演習実施を公表したので、金正恩が激怒し、調べさせたところ、当時の北朝鮮の防空レーダーではB－1Bを察知できないことが分かったという。

5章で後述しているが、その頃、米国は金正恩の警護部隊である護衛司令部の別荘を管理する幹部を買収し、金正恩の位置情報をリアルタイムでつかんでいた。だから、九月二十三日、金正恩が元山の別荘に滞在していた可能性がある。

当時、米CIA長官だったマーク・ポンペオ氏は二〇二三年一月に出した回顧録で、二〇一八年三月、極秘で訪れた北朝鮮で金正恩が開口一番「あなたが現れると思っていなかった。あなたが私を殺そうとしていたのは知っている」と語りかけ、ポンペオ氏が「まだあなたを殺そうとしている」と応じた、と明らかにした。実際に米ＣＩＡは金正恩を殺そうとしていたのだ。

恐怖を覚えた金正恩はトランプとの会談に急速に舵を切る。

二〇一七年十一月二十八日、米本土まで届く「火星15」ミサイルをロフテッド軌道（意図的に高角度で撃つこと）で発射して「国家核武力は完成した」と宣言し、翌年からトランプ大統領との話し合いに応じた。

しかし、火星15の弾頭は大気圏に再突入したときの熱と衝撃のため、三つに分解してしまった。米本土まで届く核ミサイルは完成していなかった。金正恩は翌年の米朝首脳会談で、大陸間弾道ミサイル発射と核実験をしないことを約束した。

ところが、二〇二二年に金正恩は約束を破って過去最多の三十七回、少なくとも七十三発のミサイル発射を行った（防衛省調べ）。その中でも超大型の大陸間弾道ミサイル、火星17の試射を二〇二二年二月から十一月までの間に、なんと七回も行った。三月十六日には、発射直後に爆発し、平壌市内に破片が落下、三月二十四日には、金正恩立ち会いの下に発射を成功させたと大きく報じたが、実は火星15を代わりに発射していたことが判明するなど、紆余曲折《うよきょくせつ》があったが、ついに、十一月十八日、火星17の試射を成功させた。

私は繰り返し書いてきたが、北朝鮮のミサイル発射は、「試験発射（試射）」と「発射訓練（訓練）」の二種類がある。北朝鮮の公式メディアはきちんとこの二つを区別している。試射は開発段階で国防科学院が行い、開発が完成したら軍に引きわたされ、軍事演習として訓練が行われるのだ。つまり、火星17の試射成功は開発が終わったことを意味する。

十一月十八日にロフテッド軌道で発射されて青森沖に着弾した火星17は、米本土の東海岸まで充分届く大陸間弾道ミサイルだった。私が一番注目したのは、弾頭が大気圏再突入に成功したかどうかだった。

それについて、十二月二十日、北朝鮮の事実上の権力ナンバーツーである金与正《キムヨジョン》副部長が韓国を激しく罵倒《ばとう》する談話の中で、成功したと自慢した。

「われわれの大陸間弾道ミサイルが大気圏再突入について認められなかっただの、検証されなかっただの、常にそんなことに食い下がってきたのだが、私は今まで生きながらいらぬ心配をしてくれるさまを見ている。（略）とても非常識な言葉だけを選んで言いふらす一味であるので、一つだけ分かりやすく話してやるが、もし大気圏再突入技術が不十分であったなら、コントロール戦闘部のリモートデータを着弾瞬間まで受け取れなくなる」

ここで与正が「大気圏再突入技術が不十分であったなら、コントロール戦闘部のリモートデータを着弾瞬間まで受け取れなくなる」と語っていることは重要だ。彼女は青森沖の海に着弾するまで、弾頭が正常にコントロールされていることを示すデータ、つまり電波が発信されていたと発言しているのだ。

日米韓の軍事当局も、その電波を傍受している。私が接触できた複数の軍事筋は、弾頭は着弾まで正常に作動していたと伝えた。それが正しければ、火星17は大気圏再突入技術を持ったのだ。ただし、ロフテッド軌道と通常軌道では大気圏再突入の際に弾頭にかかる圧力や熱も異なるから、通常軌道での発射実験が成功し、初めて完全な形で火星17の大気圏再突入技術が確立したと言える。

ソウルで聞いた北朝鮮内部情報によると、核ミサイルを開発している北朝鮮の国防科学院では、二〇二二年十一月の発射成功により大気圏再突入技術は完成段階に入ったと評価しているという。「火星17発射を参観していた金正恩と妻、妹、娘らが大喜びしている姿が報道されたが、「再突入が成功したからこそあれほど喜んだのだ」と関係者は解説する。

日米軍事当局も成功したと見ているようだ。大気圏に再突入するとき、弾頭は著しい高温となる。それに耐えられる弾頭を作成するためには高温に強い特殊鋼が必要だ。そのような特殊鋼は北朝鮮の技術では国産不可能だ。北朝鮮への特殊鋼提供は国連制裁違反だ。北朝鮮はロシアから特殊鋼を密輸していたという以下のような情報を入手した。

北朝鮮はロシア当局の監視をすり抜けるため、ウズベキスタンなど中央アジア経由でミサイル弾頭に使えるロシア製の特殊鋼を密輸していた。それをロシア当局が知ってウズベキスタンに通報し、二〇二二年十二月、ウズベキスタンで北朝鮮二人、ウズベキスタン人四人が特殊鋼密輸犯人として逮捕された。すでにかなりの量のロシア製特殊鋼が北朝鮮に入っているという。

二〇二二年十二月三十一日深夜から翌一月一日明けがたまで、金正恩の出席のもと、平壌の5・1競技場で新年慶祝大公演が開催された。同スタジアムは観客席に十万人収容できるというが、当日はフィールドの中もほとんど人で埋まっていたので二十万人近くの人民が集められ、金正恩を称賛する歌と踊り、アイスショーなどが行われた。

そこで、二人の男女の歌手が二〇二二年、金正恩がどのような業績を残したのかを音楽に合わせて朗々と語った。その中に、次の一節があった。

「十一月十八日の歴史的大勝利！　朝鮮労働党の不変の対敵意志を満天下に響かせた絶対的力の宣言、核には核で、正面対決には正面対決で！　忘れるな！　絶対に忘れてはならない十一月十八日を」

十一月十八日の火星17発射が「歴史的大勝利」だというのだ。

私は繰り返し主張してきたが、金日成《キムイルソン》が朝鮮戦争休戦直後から着手した北朝鮮の核開発の目的は、第二次朝鮮戦争で米軍の介入を防ぐことだった。すなわち、奇襲で韓国を攻撃し、米国が介入しようとしたときに米本土や米軍基地のある日本を核攻撃すると脅《おど》して米国と日本内で韓国を助けることに反対する世論を起こし、米軍の介入を遅くして、その間に韓国の主要部分を占領するという戦略に基づくものだった。ついに、その宿願が実現したのだ。だから、火星17発射に成功した二〇二二年十一月十八日は金正恩が成し遂げた「歴史的大勝利」なのだ。

ただし、この間、北朝鮮軍の戦力は著しく弱体化した。ウクライナ戦争で判明したように、北朝鮮陸軍が持つ旧ソ連製の戦車や砲などの兵器は完全に時代遅れで、韓国軍と単独で戦っても勝ち目がない。だから、奇襲をかけてもすぐ反撃され、むしろ韓国軍の北進を許すだけだ。そこで、金正恩は金日成の核戦略にはなかった、実際に戦場で使う小型の戦術核兵器の開発と実用化を急いでいるのだ。物事は思う通りには進まないものだ。

尹錫悦大統領が北朝鮮の核を強く警戒しているように、金正恩にも不安がある。通常兵力で戦ったら韓国単独でも負けるという不安、米韓軍が自分を暗殺する作戦を遂行する能力を持っているという不安だ。

彼はなんと自分が攻撃されたら、必ず核で反撃すると明文化した法律までつくった。それだけ不安なのだ。

## 金正恩が攻撃されたら、核で反撃する

二〇二二年九月八日、最高人民会議（国会）は核兵器使用条件などを定める「核戦力政策に関する法令」（以下「核法令」）を採択し、党総書記の金正恩が「核放棄のため

の交渉はあり得ない」「核はわれわれの国威であり、国体であり、共和国の絶対的な力である」とする施政方針演説を行った。法令と演説を詳細に分析すると、金正恩政権の置かれた苦境がよく分かる。

金正恩は今、二つのことに恐怖を感じている。第一に、韓国の尹錫悦政権成立後に急速に正常化した米韓軍事同盟への恐怖だ。第二が、制裁と国境封鎖で生活難に苦しむ人民の不満が高まっていることへの恐怖だ。

米韓軍事同盟への不安を背景に、北朝鮮は核法令をつくった。その第六条で、核の先制使用もあり得ることを明文化する五つの「核使用条件」が定められた。

〈第六条　核兵器の使用条件

朝鮮民主主義人民共和国は次の場合、核兵器を使用することができる。

①朝鮮民主主義人民共和国に対する核兵器、またはその他の大量殺りく兵器による攻撃が強行されたり、差し迫ったと判断される場合

②国家指導部と国家核戦力指揮機構に対する敵対勢力の核および非核攻撃が強行されたり、差し迫ったと判断される場合

③国家の重要戦略的対象に対する致命的な軍事的攻撃が強行されたり、差し迫ったと判断される場合
④有事に戦争の拡大と長期化を防ぎ、戦争の主導権を掌握するための作戦上、必要が不可避に提起される場合
⑤その他の国家の存立と人民の生命安全に破局的な危機を招く事態が発生して核兵器で対応せざるを得ない不可避な状況が生じる場合〉

相手が核攻撃をしてこなくても、「その他の大量殺りく兵器による攻撃が強行されたり、それが差し迫ったと判断される場合」（①）、あるいは「国家指導部と国家核戦力指揮機構」（②）や「国家の重要戦略的対象」（③）が核以外の軍事攻撃を受けるか、それが差し迫ったと判断される場合に核を使うと明記した。通常兵力の攻撃に対して核で反撃するということだ。

「国家指導部と国家核戦力指揮機構」とは、金正恩とその側近を指す。つまり自分が通常兵力で攻撃されたら核で反撃すると法律に書いたのだ。攻撃されて死んだり、新しい命令を出すことが不可能な状態になっても、「事前に決まった作戦方針に従って、

挑発の源と指揮部をはじめとする敵対勢力を壊滅させるための核打撃が自動的に、即時に断行される」と自動核報復を明記した。

核使用の条件で、攻撃が「差し迫ったと判断される場合」と書かれている点も見逃せない。ということは、金正恩が差し迫ったと判断すれば、それが誤解で実際には差し迫っていなくても核攻撃をすることさえあり得るのだ。そして、有事に「作戦上必要が不可避に提起される場合」も核を使うと書いた。自衛のためではなく、作戦上必要なら核による先制攻撃を辞さないとしたわけだ。恐るべき脅《おど》しだ。

このような先制核攻撃宣言の背景には金正恩の恐れがある。尹錫悦政権成立後、急速に韓国の対北朝鮮防衛体制整備と米韓軍事同盟の正常化が進んだからだ。二〇一七年のように、また米韓軍が斬首作戦で自分を殺しにくるかもしれないとおびえたのだ。

韓国の尹大統領は、大統領就任から二カ月後の二〇二二年七月六日、全軍主要指揮官会議で「北朝鮮が挑発すれば、迅速かつ断固として対応せよ」と命じた。米韓軍事演習も復活した。文在寅政権下で四年間行われなかった大規模な兵力による野外演習が、同年八月二十二日から九月二日に再開し、それが断続的に続いている。

その上、朴槿恵政権時代に準備され、文在寅政権で中断していた金正恩暗殺作戦（いわゆる斬首作戦）の米韓合同演習が米本土で実施された。二〇二二年六月十四日から七月九日までカリフォルニア州フォートアーウィン基地内の「ナショナル訓練センター」（ＮＴＣ）で、米韓特殊部隊による共同訓練が実施された。

韓国からは初めて陸軍特殊戦司令部所属の将兵七十人が参加し、米陸軍第一特戦団の将兵などと実戦演習を行った。北朝鮮は斬首作戦に強い恐れを抱いている。

また、先にも書いたがウクライナ侵略戦争でロシア陸軍の弱さを見て、金正恩は同じロシア製兵器で武装している北朝鮮陸軍が予想外に弱いことを知った。米軍さえ撤退させれば奇襲攻撃で韓国を占領できると考えてきたのだが、韓国軍だけと戦っても現在の北朝鮮軍は敗退する可能性が高いという不都合な真実に直面したのだ。そこで、自分の命を守ることを最優先とし、自分に危害を加えるならば核で反撃するというメッセージを送ったのだ。

## 核ミサイルが飯を食わしてくれるのか

次に金正恩が感じている二つ目の恐怖、すなわち制裁と国境封鎖で生活難に苦しむ人民の不満が高まっていることへの恐怖について見ておこう。金正恩の施政方針演説を読むと、それがよく分かる。金正恩は演説前半で、核廃棄交渉などあり得ない、制裁は効いていない、時間は自分たちの味方だ、と次のように強がりを言い続ける。

〈米国は、史上最大の制裁・封鎖によってわれわれに困難な環境をもたらし、力が尽き果てるようにし、われわれをして国家の安定的発展環境に対する不信と脅威を感じざるを得なくして、われわれに核を選択した代価について考えさせ、党と政府に対する人民の不満を誘発、惹起し、われわれが自ら核を捨てざるを得なくしようと企んでいます。

とんでもない！　これは敵の誤判であり、誤算です。百日、千日、十年、百年かけて制裁を加えてみよと言いましょう〉

ここで「人民の不満」という言葉を金正恩が自ら使っている。実はそれを恐れているのだ。この少し後にこう言っている。

〈実際、帝国主義連合勢力と単独で立ち向かって、最も野蛮かつ横暴な制裁圧殺策動を粉砕するとともに、共和国核武力を建設し、戦闘態勢を完成するということは、耐え難い苦痛と国難を甘受し、乗り越えなければならない生死を分かつ決戦でした。

それだからこそ愛するわが人民と子どもが困苦欠乏に耐え、貴重なわれわれの全ての家庭が厳しい生活難を克服しなければなりませんでした〉

「わが人民と子どもが困苦欠乏に耐え」ていること、「全ての家庭が厳しい生活難」に直面していることを認めている。それをしないと治まらないほど不満が高まっているのだ。困窮する人民から「核ミサイルが飯を食わしてくれるのか」という不満の声が噴出し続けている。

そこで二〇二二年一月から四月まで合計十二回のミサイル発射を国営メディアが大きく報じたが、五月以降、九月中旬までの六回の発射は報じていない。それだけ人民の不満を意識していたのだ。

だから、金正恩は施政方針演説後半で一転して、人民の生活向上に努力せよ、と繰り返し党と政府に命令した。

〈全ての政権機関は当該地域で尊厳ある共和国政権を代表し、人民の生活に責任を持っているという使命感を銘記し、その本分を忠実に遂行しなければなりません。党と政府の人民的施策が全ての子どもや世帯に等しく行き届くように献身的に努力し、飲料水や焚き物をはじめ人民の生活上の問題に常に関心を払い、いささかの不便や苦衷も感じないように前もって綿密な対策を立てなければなりません。

わが党と政府の経済政策はいずれも、人民の物質的経済的需要を円滑に満たし、人民に裕福でうらやむことのない生活を享受させるためのものです。

人民生活で基礎的な問題さえもまともに解決できず、引き続き人民に苦労させるようでは、そのような経済活動は何の必要もありません〉

ただし、人民生活改善のための具体的政策は一切出てこない。幹部らが科学的な対策を立て指導せよ、幹部らが不退転の思想的覚悟と決心を持って奮闘すべきだ、と精神論を語るのみだ。党と政府の経済担当幹部らは「何をするにも資材がない、エネルギーがない、肥料がない、それらを買う外貨がない、無い無い尽くしで手の打ちようがない」と陰で不満をこぼしながら、政治犯になることを恐れ、誰もそれを金正恩に直言できない。

金正恩は幹部らに人民生活に責任を持てと、叱責しながら具体的対策は何も出さず、核ミサイル開発に集中し、米韓に対して俺を殺したら自動的に核報復するぞ、作戦上必要と判断すればいつでも核を使うぞ、と脅し続けている。

## 韓国・日本を標的にした核ミサイル攻撃

金正恩は、実際の戦場で使う核兵器、戦術核の攻撃演習を公然と行った。

北朝鮮は二〇二二年九月二十五日から十月九日まで七回にわたって弾道ミサイルを発射し、十月十日、金正恩が発射に立ち会って指示を下し、発射成功を喜んでいる場面や発射の瞬間などの写真を多数公表した。

朝鮮中央通信は十月十日「金正恩総書記が朝鮮人民軍戦術核運用部隊の軍事訓練を指導」という記事を掲載した。同記事は冒頭、こう書いた。

〈国の戦争抑止力と核反撃能力を検証、判定し、敵に厳重な警告を送るための朝鮮人民軍戦術核運用部隊の軍事訓練が、九月二十五日から十月九日まで行われた〉

〈朝鮮労働党総書記で朝鮮労働党中央軍事委員会委員長である敬愛する金正恩同志が、戦術核運用部隊の軍事訓練を現地で指導した〉


注目すべきは「戦術核運用部隊の軍事訓練」だったと明記したことだ。繰り返し書くが、北朝鮮のミサイル発射は、開発段階で行う国防科学院による「試射」と、完成後、軍に引き渡され実戦配備された後に行われる軍による「発射訓練」がある。その二つの性格は大きく異なるのだが、多くの日本のマスコミや専門家はその違いを無視して的外れな議論を進めている。

この時行われたのは軍による「発射訓練」だ。それも「戦術核運用部隊の軍事訓練」だった。この表現に含まれる意味は大きい。

まず、「戦術核運用部隊」の存在がその時初めて公表されたことだ。大雑把に言うと、米本土を狙うのが戦略核であり、韓国、日本、グアムを狙うのが戦術核だ。つまり、戦術核運用部隊とは韓国と日本などを狙った核攻撃を行う部隊なのだ。その部隊がわずか十五日間に七回もミサイルなどの軍事演習を行ったと、北朝鮮は公然と言っている。韓国と日本に核脅迫を仕掛けたという意味だ。

軍事演習の内容を朝鮮中央通信が詳しく伝えた。それを引用する。

〈(二〇二二年)九月二十五日未明、わが国の北西部の貯水池水中発射場で戦術核弾頭の搭載を模擬した弾道ミサイル発射訓練が行われた。

訓練の目的は、戦術核弾頭の搬出および運搬、作戦時の迅速で安全な運用・取り扱いの秩序を確定し、全般的運用システムの信頼性を検証および熟達する一方、水中発射場での弾道ミサイル発射能力を熟練させ、迅速反応態勢を検閲することにあった。

発射された戦術弾道ミサイルは、予定された軌道に沿って朝鮮東海上の設定標的上空へ飛行し、設定された高度で正確な弾頭起爆の信頼性が検証された。また、実戦の訓練を通じて計画された貯水池水中発射場の建設方向が実証された。

九月二十八日、南朝鮮作戦地帯内の各飛行場を無力化させる目的で行われた戦術核弾頭の搭載を模擬した弾道ミサイル発射訓練でも核弾頭の運用に関連する全般システムの安定性を検証したし、九月二十九日と十月一日に行われた複数の種類の戦術弾道ミサイル発射訓練でも当該の設定標的を上空爆発と直接精密および散布弾打撃の配合で命中することで、われわれの兵器システムの正確性と威力を実証した。

十月四日、朝鮮労働党中央軍事委員会は持続する朝鮮半島の不安定な情勢に対処して、敵により強力で明白な警告を送ることに関する決定を採択し、新型地対地中・長距離弾道ミサイルで日本列島を横切り、四千五百キロ界線の太平洋上の設定された標的水域を打撃するようにした。

十月六日未明、敵の主要軍事指揮施設打撃を模擬して機能性戦闘部の威力を検証するための超大型ロケット砲と戦術弾道ミサイル命中打撃訓練が行われ、九日未明、敵の主要港湾打撃を模擬した超大型ロケット砲射撃訓練が行われた。

七回にわたって行われた戦術核運用部隊の発射訓練を通じて、目的とする時間に、目的とする場所で、目的とする対象を目的とするほど打撃、掃滅《そうめつ》できるように完全な準備態勢にあるわが国家の核戦闘武力の現実性と戦闘的効率、実戦能力があまねく発揮された〉

ここで見逃せないのは、二〇二二年九月二十五日と二十八日に「戦術核弾頭の搭載を模擬」と明記していることだ。公然と模擬核弾頭を踏査してミサイルを発射する軍事演習を行ったと言っているのだ。

そのうえ、核攻撃の対象について「南朝鮮作戦地帯内の各飛行場」（九月二十八日）、「敵の主要軍事指揮施設」（十月六日）、「敵の主要港湾」（九日）と明記した。九月二十八日だけは「南朝鮮」だったが、十月六日と九日はそのように限定せず「敵」と書いた。その意味は、韓国だけでなく我が国やグアムの米軍基地、自衛隊基地と港湾を核攻撃する演習だったと言っているのだ。

繰り返し強調するが、この時の七回の発射は新型ミサイル開発のための試射ではなく、韓国と日本などを標的にした戦術核ミサイル攻撃の軍事演習だった。

そのことを多数の北朝鮮専門家もマスコミも正しく理解していなかった。たとえば『産経新聞』（二〇二二年十月十五日付）で、平岩俊司・南山大学教授は「背景には北朝鮮が昨年九月に発表した『国防力強化五カ年計画』がある。これを達成するために今、ミサイル実験を繰り返している」とコメントした。

『朝日新聞デジタル』（二〇二二年十月五日付）で、礒崎敦仁・慶應大学教授は「北朝鮮は今年に入り、短距離、中距離、長距離のミサイル発射実験を続けてきた。（略）北朝鮮は中期的な計画に基づいて、自分のペースで着々と兵器開発を続けている」とコメントした。

二人とも今回の発射が計画に基づく新ミサイル開発の一環だと評価しているが、それは間違いだ。先に書いたように北朝鮮のミサイル発射は「試射」と「訓練」の二種類がある。開発段階での国防科学院による「試射」と、開発が完成して軍に引き渡され、実戦配備後の人民軍による「訓練」だ。そして、このときは「試射」ではなく「訓練」だった。そのことを多くの専門家もマスコミも注目していない。だから、ミサイル発射の真相が分からないのだ。

北朝鮮の公式メディアは、その二つをきちんと区別している。それなのに、日本のマスコミや専門家はその区別をしないまま、ただ開発のための発射だと伝えている。北朝鮮で核ミサイル開発をどこの部署が担当しているのかについて正確な理解がないから、そのような間違いを犯すのだ。核ミサイル開発は人民軍が担当していない。労働党中央委員会の軍需工業部が担当する。

同部の下に、財源を確保するため、一九七〇年代に金正日が第二経済委員会という組織を内閣の外につくった。核ミサイル開発などの資金は内閣が管理する計画経済の外で独自に調達されている。同委員会は独自に外貨稼ぎの会社を持ち、資源や武器などを売って資金を調達する一方、金正恩の統治資金を扱う「党39号室」からも金正恩の采配で資金が回されているようだ。

内閣には外貨がほとんどなく、計画経済が破綻し、軍需工場以外の一般工場のほとんどが止まり、人民だけでなく兵士らも飢えに苦しむ、そんな中でも核ミサイル開発だけは続いている。その資金を使って、やはり軍需工業部の下にある国防科学院が実際の核とミサイルの開発を行っている。

北朝鮮は二〇二一年一月から二〇二二年八月までに二十六回ミサイル発射を行っていた。しかし、その大部分は試射だった（二〇二一年から二〇二二年四月までの二十回のうち、二回だけが「鉄道機動ミサイル連隊の検閲射撃訓練」、五月から八月の六回は公式報道がなかった）。

九月二十五日から十月九日までの七回の発射は、金正恩が現地指導した「戦術核運用部隊の軍事訓練」と公表された。発射された多様なミサイルは実戦配備されているということだ。再度強調するが、七回のミサイル発射は短距離と中距離、つまり韓国、日本、グアムを狙う核ミサイルを撃つ核攻撃の軍事演習だったのだ。

## 尹錫悦大統領の深刻な危機意識

尹錫悦大統領の独自核武装発言は、金正恩の以上のような脅しに対する毅然《きぜん》たる反撃なのだ。

尹発言を詳しく紹介しておこう。独自核武装発言の前にも「北のいかなる挑発にも確実に報復すべきだ。それが挑発を抑止できる最も強力な手段だ。北に核があるからといって恐れたり、躊躇《ちゅうちょ》したりしてはならない」(二〇二二年十二月二十八日)、「一戦を辞さない構えで、敵のあらゆる挑発に対し確実に報復しなければならない」(二〇二三年一月一日)と発言、文政権が北朝鮮と結んだ軍事合意の破棄を検討し始め、同合意で禁止された軍事境界線での韓国軍の拡声器による放送再開の準備を開始した。

そして、十一日、大統領室で行われた外交部と国防部の業務報告の席で「(北朝鮮核問題が)より深刻化したならば、大韓民国に戦術核配置をするとか、われわれ自身が自前の核を保有することもできる。もしそうなったならば、長い時間をかけず、われわれの科学技術でもっと早い日時のうちに、われわれも保有できる」と断言した。

韓国の北朝鮮の核攻撃に対する抑止（三軸体系）は、①**発射兆候を察知して、ミサイル発射前に移動式を含む発射基地と制御施設を攻撃、②発射後、着弾前に迎撃、③着弾したら大規模な報復攻撃を行う、**という三つの軸から構成されている。尹大統領は、③を特別に重視している。

尹大統領はそのとき、北朝鮮の核に対するもっとも効果的で現実的な方案は「韓国版大量報復体系」（KMPR＝Korea Massive Punishment and Retaliation）を備えることだと強調し、「われわれが攻撃を受けるならば百倍、千倍の報復ができるKMPR能力を確固として構築することが攻撃を防ぐ最も重要な方法だ。確実なKMPRだけが挑発を抑制し、それだけがわれわれの正当で効果的な自衛権行使になる」と明確に語った。独自核武装もKMPRの延長線上にあるのだ。

尹大統領は「しかし、常に現実的に可能な選択をすることが重要だ」として、すぐに米国の反対を押し切って独自核武装に向かう考えはないとも語った。その上で米国との関係について、一方的に依存するのではなく共通対応をするとして、こう語った。

「今は韓米間で米国の核資産に関して情報を共有し、共に参与し、共同企画、共同実行するという論議が展開されている。われわれの安保を米国が守ってくれるという概念ではなく、お互いの間の安保利益において共通の利害関係が正確に一致すると見ている」

尹大統領は、我が国の岸田政権が二〇二二年十二月に発表した国家安保戦略などで大幅な防衛力強化と反撃能力保有などを決めたことに対して、北朝鮮の核ミサイルの脅威が高まっていることを理由に理解を示した。

「日本も今や頭の上をＩＲＢＭ（中距離弾道ミサイル）が飛んでいったから防衛費を増額し、いわゆる反撃概念というものを国防計画に入れることにしたのではないか。それを誰が何か言うのか。平和憲法を採択する国がどうしてそんなことができるのかと言うけれど、頭の上にミサイルが飛んでいき、核が来るかもしれないのだから、それを防ぐことは簡単ではない」

北朝鮮の核ミサイルが韓国だけでなく、日本を攻撃する可能性があることを前提に発言していることが分かる。つまり、北朝鮮が米本土まで届く核ミサイルを持ってしまったという重い現実が尹大統領の発言を貫く危機意識なのだ。

5章で後述するが、尹大統領が就任以来、急速に日本との関係強化に動いている背景には、日米韓の三カ国の連携なしに、北朝鮮の核の脅威に対抗できないという強い思いがあるのだ。尹大統領は二〇二三年八月十五日の演説で日韓間の歴史問題には全く触れず、日本を「普遍的価値を共有し、共同の利益を追求するパートナー」だと位置づけたうえで、次のようにはっきりと語っている。

〈北朝鮮の核とミサイルの脅威を源泉から遮断するには韓米日三カ国間での緊密な偵察資産協力と北朝鮮の核・ミサイル情報のリアルタイム共有が必要です。日本が国連軍司令部に提供する七カ所の後方基地は、北朝鮮の韓国侵攻を遮断する最大の抑止要因になっています。北朝鮮が侵攻する場合、国連軍司令部が自動的かつ、即時的に介入して報復することになっており、日本の後方基地はそれに必要な国連軍の陸海空戦力が十分に備蓄されている場所です〉

尹錫悦の独自核武装発言を受けて、米国の専門家からは韓国の独自核武装に賛成する意見が出ている。

ダートマス大学のジェニファー・リンド教授は一月十三日、自由アジア放送に「米国の都市と多くの米国人は北朝鮮による核攻撃の脅威にさらされているが、果たして米国は韓国に核の傘を提供できるかという疑問は当然起こり得る。韓国が独自に核兵器を保有する考えを持つのは理解できる」と指摘した。

二〇二三年一月末、ロイド・オースティン米国防長官が訪韓し、「拡大抑止を提供する約束は鉄壁で堅固だ」と強調して、ステルス戦闘機や空母の朝鮮半島展開をさらに拡大していくと明らかにした。第一次安倍政権下で当時の中川昭一自民党政調会長が核武装について議論すべきだという発言をしたとき、すぐ、ブッシュ政権は拡大抑止の信頼性を強調し、コンドリーザ・ライス安保補佐官が東京に飛んできたことを思い出す。あのときは、マスコミが中川発言を一斉に叩き、日本国内で独自核武装論は広がらなかった。

一方、韓国では核武装を支持する世論は高い。韓国ギャラップの世論調査（二〇二三年一月三十日発表）では、「韓国独自の核開発」賛成が七六・六％、反対二三・四％だった。四分の三が独自核開発に賛成したのだ。それだけでなく、朝鮮半島有事の際に「米国が核抑止力を行使しないと考える」も四八・七％だった。この憂慮は極めて正しいと私は考える。

なぜなら、前述したように二〇二二年十一月のＩＣＢＭ「火星17」発射で、北朝鮮がまだ持っていないとされていた先端技術である弾頭の大気圏再突入を成功させた可能性が高いからだ。つまり、北朝鮮が米本土まで届く核ミサイルを持ってしまった可能性が高いということだ。それにより北朝鮮の核ミサイルに対する米国の拡大抑止、すなわち、核の傘に穴が開いているという深刻な危機意識が、尹大統領と韓国国民にはしっかりある。

## 軍事的緊張が高まり続けた

二〇二三年二月八日に行われた軍事パレードに「戦術核運用部隊」が登場した。韓国や日本を射程に入れた短距離ミサイル部隊や巡航ミサイル部隊が行進し「戦術ミサイル縦隊と長距離巡航ミサイル縦隊が、広場に進入した。強力な戦争抑止力、反撃能力を誇示《こじ》してたくましく進む戦術核運用部隊縦隊の進軍は、威厳があり、無比の勢いが天をついた」と紹介された。その後ろに、片側十一輪の大型移動式発射台車に載せられた火星17が十一基登場した。

最初に、二〇二二年十一月に英雄称号と勲章を受けた「３２１号発射台車」が火星

17を積んで登場し、その後ろに二台ずつ五列、合計十台の発射台車が出てきた。これが真打ちかと思うとそうではなく、新しい大陸間弾道ミサイルが五基姿を見せた。片側九輪の移動式発射台に載せられた火星17より少し短く、直径が太いミサイルだった。そのとき名前は公開されなかったが、これが固体燃料の大陸間弾道ミサイル「火星18」だった。

火星17が大気圏再突入に成功したのだから、米国本土を攻撃できる能力を北朝鮮は確保したか、少なくともその直前まで来たことになる。それなのに、なぜ新しいミサイルが必要なのか。

火星17は液体燃料を使う。液体燃料は不安定なのでミサイルに入れっぱなしにしておくことができず、発射直前に注入する。だから固体燃料の大陸間弾道ミサイルを持ちたいのだ。

二〇二三年に入っても北朝鮮は核攻撃訓練を継続して行い、それに対抗して、日米韓も抑止のための軍事演習を繰り返している。二〇二三年二月から三月の二カ月間に、北朝鮮は米国本土を標的にした核ミサイル発射訓練を二回、韓国と日本を標的にした戦術核攻撃訓練を二回公然と行った。

それに対して、日韓米三カ国は、米戦略爆撃機を自衛隊と韓国空軍が護衛する空中演習、米韓核報復机上演習、日米韓イージス艦の弾道ミサイル対処共同訓練、米韓合同軍事演習「フリーダム・シールド（自由の盾）」などで対抗した。まさに軍事的緊張が高まり続けた二カ月だった。その状況を概観しよう。

二月十八日、米本土東海岸まで届く大陸間弾道ミサイル火星15ロフテッド軌道発射、「人民軍ミサイル総局大陸間弾道ミサイル運用部隊の発射訓練」と発表。米国本土を標的にした核攻撃訓練だった（米東海岸まで届く火星15の軍による初めての発射訓練で、火星15が実戦配備されていることが確認された。二十日、金与正党副部長が、火星15は大気圏再突入に失敗したとする韓国の専門家らの主張を激しい言葉で罵《のの》り、「もし弾頭の大気圏再突入が失敗したなら、着弾瞬間まで弾頭の信号を受信できなくなる」として、成功を強調）。

・十九日、米空軍の戦略爆撃機B1BとF16戦闘機が、日本海上空で航空自衛隊F15と、韓国防空識別圏内で韓国空軍のF35A、F15K戦闘機と、それぞれ合同演習を行った。

・二十日、長距離砲兵区分隊のロケット砲射撃訓練、「戦術核攻撃手段である超大型ロケット砲を動員した射撃訓練」と発表。韓国への核攻撃演習だったことを公然と認めた。

・二十二日、米国防総省で、北朝鮮の核使用を想定した米韓合同の核報復机上演習が実施された。米国による核報復の演習だ。同日、日本海では日米韓のイージス艦が弾道ミサイル対処共同訓練を行った。日本からは護衛艦あたご、米国からは駆逐艦バリー、韓国からは駆逐艦セジョン・デワンが参加した。

・二十三日、北朝鮮は巡航ミサイル発射訓練、「敵対勢力に対する致命的な核反撃能力を全面的に強化している共和国核戦闘武力の臨戦態勢が、もう一度はっきり誇示された」と発表。韓国と日本を目標にした戦術核攻撃の演習だったことを公然と認めた。

・三月十三日から二十三日、米韓軍が大規模な合同軍事演習「フリーダム・シールド（自由の盾）」。五年ぶりに大規模な野外機動訓練。

・三月十六日、米本土東海岸まで十分届く火星17ロフテッド軌道発射、「大陸間弾道ミサイル部隊の発射訓練」と発表。現地指導した金正恩は「核には核で、正面対決には正面対決で応えるという、わが党と共和国政府の厳《おごそ》かな宣明を再び想起し、いかなる武力衝突と戦争にも臨めるように戦略武力の迅速対応態勢を厳格に維持していくことについて強調した」。米本土を標的にした核攻撃訓練だった。前年十一月に試射に成功した超大型ＩＣＢＭ火星17が、ついに実戦配備されたことを意味する。

## 核攻撃をすれば北朝鮮は終焉する

二〇二三年四月に入っても北朝鮮は核攻撃威嚇を続けた。

四月十三日、ついに固体燃料の大陸間弾道ミサイル火星18の試射が初めて実行された。火星18は三段ロケットとその上の弾頭で構成されていて、弾頭は北海道方向に飛んだ。そこでわが国政府は北海道全域に「直ちに避難」を求めるＪアラートを発出した。ところが、弾頭部分はレーダーから姿を消したのでＪアラートは取り消された。開発途中の試射だから、これは失敗とは言えない。

その三カ月後の七月十二日、二回目の火星18の試射が行われた。まだ、開発段階ではあるが着々と技術水準を上げていることが分かる。

以上のような北朝鮮の公然たる核攻撃威嚇に危機感を募らせる米韓両国は米国の拡大抑止、すなわち核の傘を強化した。

四月二十四日から三十日まで、韓国・尹大統領が国賓として米国を訪問した。二十六日、バイデン大統領と会談し、北朝鮮の核脅威に対する米韓同盟の抑止力を強化することをうたった「ワシントン宣言」を発表した。そこには、

・米国の「核の傘」提供を軸とする拡大抑止を強化すること
・米国の核戦略計画に関する情報を韓国と共有する次官級の「核協議グループ（NCG）」の新設
・戦略核ミサイルを搭載した戦略原子力潜水艦を近く韓国に派遣

などが盛り込まれた。注目すべきは、NCGを通じて、米国の核政策について、計画立案や訓練などへ韓国側の関与も認めるとしたことだ。

尹大統領は共同記者会見で「私たち二人の首脳は北朝鮮の核ミサイルの脅威に直面し、相手の善意に期待する偽物の平和ではなく、圧倒的な力の優位を通じた平和を達成するため、両国間の拡大抑止を画期的に強化することにした」と述べた。

バイデン大統領は、米韓首脳会談後の会見で、北朝鮮が米国や同盟国を核攻撃すれば、「（北朝鮮の）政権は終焉する」と語った。このバイデン発言が北朝鮮内に伝わり、「早く政権を倒してほしい」という予想外の反応が拡散したことについては先述した。

七月十八日、韓国ソウルで「核協議グループ（NCG）」の最初の会合が開かれた。

尹錫悦大統領は会合で「核に基づく枠組みに格上げされた韓米同盟を通じて、われわれは北朝鮮の核とミサイルの脅威を根本から阻止することに多大な努力を払う」と強調した。

同じ七月十八日、核兵器を装備可能な米軍の戦略原子力潜水艦「ケンタッキー」が四十二年ぶりに韓国・釜山《プサン》に入港した。十九日には尹錫悦大統領が外国首脳として初めて米戦略原潜に乗り込み、「今回の『ケンタッキー』の展開は、拡大抑止の実行力を強化するための韓米両国の意志をよく示している」と演説した。

七月二十七日、北朝鮮は朝鮮戦争「戦勝」七十周年記念の軍事パレードを行った。そして、八月十日、中央軍事委員会が開かれ金正恩が「重大な軍事的対策」に関する命令書に署名し、「軍隊の戦争準備を攻勢的に進める」方針を示したという。公開された写真には金正恩が韓国の前に立ち、ソウルと陸軍本部がある大田《テジョン》を指さして指示をしている場面も含まれていた。

以上を見ると、北朝鮮の核恫喝に対して韓国では尹錫悦大統領が先頭に立って危機感を強め、米韓同盟を強化し、圧倒的な力による抑止力構築するために必死で努力していることがわかる。

## 日本の危機意識のなさ

ところが、日本ではJアラート直後にだけ関心が高まるが、その内容はどこに逃げればいいのかという疑問、Jアラートが空振りだったという批判などがほとんどで、日本を標的にした戦術核攻撃の核攻撃演習が行われたことや、米国まで届く核ミサイルが実戦配備されたことによって米国の核の傘に穴が空くのではないかという危機感はほとんど表に出てこない。私はそれを見ながら危機感がないことに強く危機感を感じている。

二〇二二年十月十三日の衆院安保・外務・拉致特別委員会連合審査会で、北の軍事技術の向上について、浜田靖一防衛大臣は、「北朝鮮は少なくとも、『ノドン』『スカッドER』といった、わが国を射程におさめる弾道ミサイルについては、これらに核兵器を搭載して、攻撃するために必要な核兵器の小型化・弾頭化などを、すでに実現しているものとみられます」と答弁した。マスコミは、この答弁も大きく扱わなかった。防衛大臣が国会で「北朝鮮はわが国を攻撃できる核ミサイルを持っている」と答弁したのに、なぜ、大騒ぎにならないのか。

繰り返し書いてきたように、すでに日本を射程に入れた北朝鮮の核ミサイルが実戦配備され、何回も核攻撃演習が行われているのだから、もっと危機感が高まってもおかしくないはずだ。

実は浜田答弁はこれまでの防衛相の見解をそのまま述べたものだ。我が国政府は二〇一八年十二月十八日に閣議決定した「防衛計画大綱」（平成三十一年度以降に係る防衛計画の大綱について）で初めて、北朝鮮は日本に届くミサイルに搭載できる核弾頭の小型化をすでに実現しているという認識を明記した。

その時点までは、ノドンなど日本を射程に入れた北朝鮮のミサイルに核弾頭を載せることができるのかが焦点だったのだ。まだ小型化できていないという意見もかなりあった。だが、このとき核弾頭を搭載できると政府として初めて断定し、こう書いた。

「北朝鮮は、近年、前例のない頻度で弾道ミサイルの発射を行い、同時発射能力や奇襲的攻撃能力等を急速に強化してきた。また、核実験を通じた技術的成熟等を踏まえれば、弾道ミサイルに搭載するための核兵器の小型化・弾頭化を既に実現しているとみられる」

このとき、本来なら新聞が一面トップで大きく扱い、テレビもトップニュースで伝えるなど大騒ぎが起きるべきだった。しかし、マスコミは報じなかったので騒ぎは起きなかった。

ちなみに、同年七月に出た二〇一八年版『防衛白書』では「北朝鮮が核兵器の小型化・弾頭化の実現に至っている可能性が考えられる」とし、弾頭小型化・軽量化について完成したとの断定はしていなかった。

翌二〇一九年版『防衛白書』では、「弾道ミサイルに搭載するための核兵器の小型化・弾頭化を既に実現している」と明記し、二〇二〇年版では、より分かりやすく、「北朝鮮は、わが国を射程に収めるノドンやスカッドERといった弾道ミサイルについては、実用化に必要な大気圏再突入技術を獲得しており、これらの弾道ミサイルに核兵器を搭載してわが国を攻撃する能力を既に保有しているとみられる」(傍線・西岡)とした上で「核兵器の脅威に対しては、核抑止力を中心とする米国の拡大抑止が不可欠」と書いている。私は、さまざまなところでわが国政府は、すでに北朝鮮は日本を射程に入れた核ミサイルを実戦配備していると断定していると紹介し、もっと危機感を持つべきだと叫んできたが、反応はほとんどない。

なお、二〇二二年十二月、岸田文雄政権が打ち出した日本の防衛政策を大きく変えた安保三文書（国家安保戦略、国家防衛戦略、防衛力整備計画）でも、この認識はしっかりと明記されている。

〈北朝鮮は体制を維持するため、大量破壊兵器や弾道ミサイル等の増強に集中的に取り組んでおり、技術的には我が国を射程に収める弾道ミサイルに核兵器を搭載し、我が国を攻撃する能力を既に保有しているものとみられる。大量破壊兵器の運搬手段である弾道ミサイルについては、その発射の態様を多様化させるなどして、関連技術・運用能力を急速に向上させており、特に近年、低空を変則的な軌道で飛翔する弾道ミサイルの実用化を追求し、これらを発射台付き車両（ＴＥＬ）、潜水艦、鉄道といった様々なプラットフォームから発射することで、発射の兆候把握・探知・迎撃を困難にすることを企図しているとみられる。また、「極超音速滑空飛行弾頭」、米国本土を射程に含む「固体燃料推進式大陸間弾道ミサイル（ＩＣＢＭ）」等の実現を優先課題に掲げて研究開発を進めているとみられ、今後の技術進展が懸念される。このような北朝鮮の核・弾道ミサイル開発等は、累次の国連安保理決議等に違反するものであり、地域と国際社会の平和と安全を著しく損なっている。こうした軍事動向は、我が国の安全保障にとって、従前よりも一層重大かつ差し迫った脅威となっている〉(『国家防衛戦略』4頁)

## 非核三原則厳守では国を守れない

それでは政府は北朝鮮の核ミサイルから、わが国をどのように守ると言っているのか。これはずっと一貫して米国の拡大抑止、すなわち核の傘によって北朝鮮の核ミサイルを抑止すると主張してきた。

〈核兵器の脅威に対しては、核抑止力を中心とする米国の拡大抑止が不可欠であり、(略)我が国自身の努力と、米国の拡大抑止等が相まって、あらゆる事態から我が国を守り抜く〉(『国家防衛戦略』7頁)

しかし、北朝鮮が米本土まで届く核ミサイルを持ったことがほぼ確実になった現実の深刻さについての強い危機感が『国家防衛戦略』からも『防衛白書』からもほとんど感じられない。本章で論じたように米本土まで届く火星15は二〇二三年二月に実戦配備されて発射訓練が行われ、同じく火星17は二〇二三年三月に、やはり実戦配備されて発射訓練が断行されてしまった。

わかりやすく言うと、北朝鮮が米本土まで届く核ミサイルを持ってしまったのだから、それでも米国がニューヨーク、ワシントン、ロサンジェルスを犠牲にしてまで日本を守るのかという核の傘に対する根本的疑問が生まれているのだ。過去にフランスのシャルル・ドゴール大統領はソ連が米本土まで届く核ミサイルを実戦配備したとき、米国はニューヨークを犠牲にしてパリを守らないかもしれないと考え、独自核武装に踏み切った。二〇二三年一月の尹大統領の独自核武装発言も同じ脈略から出てきたものだ。

我が国も尹大統領のように独自核武装まで含めた北朝鮮核抑止戦略の見直しの議論を活発化すべきなのだ。安倍元首相は米国との核共有《シェアリング》を議論すべきだと言及した。ところが、岸田首相は非核三原則厳守を明言してしまった。それで本当にわが国の安全を守れるのか、真剣な議論が必要だ。

## 核ミサイルは脅迫手段

十二月三十一日、中央委員会総会の場で軍の最高幹部、朴正天《パクチョンチョン》・中央軍事委員会副委員長（元帥）が、再度ひな壇でうなだれている中、解任された。その主たる理由は韓国の無人偵察機への対応の失敗だと、その関係者は伝えた（八月三日〜五日、金正恩が複数の重要軍需工場を現地指導したとき、朴正天が同行した。軍高官として復権したと思われる）。

その関係者は、金正恩政権が近い将来、延坪島《ヨンピョンド》などで局地戦を仕掛ける危険性が高まっていると、私に伝えた。

ここまでは、すでに北朝鮮はわが国を核攻撃できる能力を持ち、二〇二二年頃に米本土まで届く核ミサイルも持ってしまった可能性が高いことを、わが国の脅威だとして訴えてきた。

しかし、脅威とは意図と能力のかけ算だ。たとえば米国は世界一強力な核攻撃能力を保有しているが、日米同盟があるのでわが国を攻撃する意図はゼロだから、脅威はゼロだ。それでは北朝鮮は、なぜ核開発にこだわっているのか。そこにはどのような意図があるのかを最後に考えておきたい。わが国が北朝鮮の核の脅威に対して、どのように立ち向かうべきかを考えるときに絶対に必要な作業だからだ。

北朝鮮の核開発戦略について説明しておこう。制裁とコロナウイルス、中朝関係悪化などで体制の危機を迎えている金正恩らが、なぜ今、米本土への核攻撃手段開発に、ここまでこだわるのか。その謎を解くためには、北朝鮮の核ミリイル開発戦略を正確に知らなければならない。

北朝鮮は自国の核武装は自衛のためだと繰り返し主張している。日本や韓国の多くの北朝鮮問題専門家は、北朝鮮の主張を支持した上で、米国との対話を求める手段として核開発をしているという主張をそこに加えてきた。このような議論は間違っている。北朝鮮がいつから核開発を始めたのかを知るだけでも真実は明らかになる。

一九五〇年六月、北朝鮮の奇襲南侵で始まった朝鮮戦争だが、休戦するのが一九五三年七月、その数カ月前の一九五三年三月、金日成は核開発を決意し、ソ連と原子力の平和的利用協定を結んだ。そして、一九六二年、寧辺《ニョンビョン》に原子力研究所を設置し、一九六三年六月、同研究所に小型研究用原子炉（IRT２００）をソ連から導入し、核開発を本格化させた。ソ連崩壊後の冷戦終結後、体制崩壊の危機を迎えて核開発を始めたのではない。朝鮮戦争の最中に開始し、軍事や経済でも南北のバランスが北朝鮮に有利だった六〇年代に本格化させている。

金日成が核ミサイル開発を決意した理由は、朝鮮戦争で勝てなかった理由を在日米軍基地の存在のためだと総括したことにある。

金日成は一九六八年十一月、核ミサイル開発を担当していたと推定されている科学院咸興分院開発チームに対して、以下のような秘密指令を下している（『金日成の秘密教示』／著：金東赫《キムトンヒョク》／訳：久保田るり子）。

「南朝鮮から米国のやつらを追い出さなければならない。われわれは、いつか米国ともう一度、必ず戦うべきだという覚悟で戦争準備をすべきだ。なにより急ぐべきことは、米国本土を攻撃できる手段を持つことだ……米国が砲弾の洗礼を受けたらどうなるか。米国内には反戦運動が起きるだろうし、第三世界諸国の反米運動が加勢することになれば、結局、米国は南朝鮮から手を引かざるをえなくなる。だから同志は一日も早く、核兵器と長距離ミサイルを自力生産できるように積極的に開発すべきである」

金正恩が二〇一七年に米本土まで届く大陸間弾道ミサイルを繰り返し試射したのも、

金日成以来の宿願を実現するためだった。

ただし、先述の通り二〇一七年の時点では、まだ大陸間弾道ミサイルは完成していない。米本土東海岸まで届く火星15の試射で、弾頭が大気圏に再突入した後に破壊された。日本と韓国を射程に入れた中距離と短距離の核弾道ミサイルはすでに実戦配備されているが、米本土まで届く大陸間弾道ミサイルは弾頭の大気圏再突入技術が未完成と見られていた。

そして二〇一七年、米国トランプ政権は核戦争をしてでも、金正恩に米本土まで届く核ミサイルを持たせないという強硬姿勢を見せた。その結果、金正恩は翌年から米朝交渉に臨み戦争を回避した。だから、金正恩は大陸間弾道ミサイルの実験をすれば米国からの軍事攻撃を受けかねないことを知っているはずだった。

それでも金正恩は、バイデン政権がトランプ政権ほど強硬でないと見て取り、大陸間弾道ミサイルによる米本土攻撃を目指し、開発を続けてきた。恐ろしいことに米本土まで届く液体燃料式大陸間弾道ミサイル火星15、火星17はすでに実戦配備された。固体燃料式大陸間弾道ミサイル火星18を今、必死で開発している最中だ。

金正恩も実際に核を使用したら米国が核報復をし、自分とその家族も必ず死ぬということは理解している。それでも核武装を最優先で進めている理由は、米軍の介入を防ぎ、韓国を軍事併呑《へいどん》するためだった。

具体的には、前述したように、奇襲南進をしかけたとき、介入すれば日本と米国を核攻撃すると威嚇することが戦略目標だった。ただし、先に書いたように通常兵力の弱体化により奇襲攻撃はほぼ不可能になってしまった。もう一つ、米韓軍によって自分と家族が殺害される危険が迫ったときの脅しとしても核使用を想定している。

つまり、核ミサイルは脅迫手段として位置づけられている。だから、わが国は彼らが新しいミサイルを開発するごとに迎撃手段を開発するという軍事的対策だけでなく、彼らの戦略を正確に理解した上で、脅しに負けないことを対策の中心に据えるべきだ。

まずなすべきは、日本と韓国に対する米国の核による拡大抑止を強化し、それを積極的に発信すること。米軍の戦術核ミサイルを日本国内に配備することを早急に検討すべきだ。その上で、第二撃に特化したわが国の独自核武装、原子力潜水艦に積んだ核搭載弾道ミサイルの保持について議論を広く行うべきではないか。

# 5章

# 北朝鮮に近づく韓国

## ——文在寅前政権の負の遺産

## 文在寅逮捕は、なぜ難しいのか

これまでは北朝鮮の動向を見てきた。北朝鮮は韓国を併呑《へいどん》することを目標にし、米本土まで届く核ミサイル保持と韓国内に親北朝鮮勢力をつくることの二つを戦略目標実現にすべてを犠牲にして邁進《まいしん》してきた。これまで本書で見てきたように、その二つはほぼ実現したが、国内経済破綻《はたん》と韓国の経済発展・通常兵力強化により、体制の危機を迎えている。この章では北朝鮮の二つ目の戦略目標である韓国の親北朝鮮化の実態と、それを正常化しようとする自由主義右派の戦いを見ていこう。

二〇二二年三月、わずか得票率〇・七％の差で尹錫悦《ユンソンニョル》が大統領に当選し、新政権がスタートした。

私は大統領就任直後には尹錫悦のことを保守派とは思っていなかった。彼は二〇二一年三月まで検事として生活をしてきた、政治経験がまったくない人物だ。

政治素人の尹が、なぜ文在寅政権下の野党「国民の力」の予備選挙で勝って大統領候補になることができ、大統領選挙で文在寅政権の後継候補、李在明《イジェミョン》を破って当選できたのか。その理由は、尹が、文在寅政権前半に法治に反する無理な捜査で保守派を多数逮捕した経歴にある。しかし、文政権が検察の権限を奪おうとしたので尹は政権中枢部への捜査を進め、文と対立し、突然、保守側のヒーローになった。そんな尹が大統領になれば、文とその側近らを逮捕してくれるのではないかという期待が、保守派国民が彼を支持した大きな理由だ。

それでは尹は文を逮捕できるのか。拙著『韓国の大統領はなぜ逮捕されるのか　北朝鮮対南工作の深い闇』（草思社）で詳述したが、一九八七年、韓国が制度において完全に民主化され現行憲法が制定されて以来、四人の前大統領が逮捕されている。すなわち、全斗煥、盧泰愚《ノテウ》、李明博、朴槿恵だ。この四人はすべて保守派である。

私はソ連崩壊により共産主義勢力が世界中で衰退していった中、韓国の左派が失速せず、それどころか文在寅政権という反米従北政権を生み出した理由について、「反日反韓史観」という歴史観を使った北朝鮮の対南工作の成功という説明を行った。そして、これまで四人の保守派の大統領が逮捕された理由も、この「反日反韓史観」にあったと書いた。私の言う「反日反韓史観」とは、一九八〇年代から韓国で急速に拡散し、今や大多数の韓国人を支配している次のような歴史観のことだ。

〈日本の植民地時代に民族の解放のために犠牲になった独立運動家たちが建国の主体になることができず、あろうことか、日本と結託して私腹を肥やした親日勢力がアメリカと結託し国をたてたせいで、民族の正気がかすんだのだ。民族の分断も親日勢力のせいだ。解放後、行き場のない親日勢力がアメリカにすり寄り、民族の分断を煽《あお》ったというのです。そのような反民族主義的な勢力を代表する政治家こそ、初代大統領の李承晩《イスンマン》であるというのです。例えば、李承晩は親日勢力を断罪するために組織された反民族行為特別調査委員会（一九四八～四九年）の活動を強制的に中断させました。そうやって生き残った親日勢力が主体となって国家建設を行ったのだから、そんな国がうまくいくわけがない。今日までの六十年間の政治が混乱を極め、社会と経済が腐敗したのもすべてそのせいである〉（李栄薫《イヨンフン》『大韓民国の物語』文藝春秋）

この歴史観に立つから、抗日武装闘争をした金日成《キムイルソン》が民族の英雄となり、朴正熙《パクチョンヒ》元大統領は日本軍人出身だとして「親日勢力」の代表として非難され、朴槿恵も親日派の娘と非難される。北朝鮮は八〇年代から政治工作の主軸をマルクス主義から民族主義に転換した。その頃から韓国で主体思想派と呼ばれる従北革命家集団が多数出現した。金泳三《キムヨンサム》政権の法治に反する遡及《そきゅう》律法による全斗煥・盧泰愚逮捕は、実はこの歴史観の強い影響を受けていた。そして主体思想派集団が権力を掌握したのが文政権であり、文政権による李明博・朴槿恵両名の逮捕こそ、この歴史観から生まれたものだった。文は次のように露骨に、その歴史観を語っていた。

〈光復［日本統治からの解放と建国］以後、親日清算がきちんとできなかったことが今まで続いています。親日派は独裁と官治経済、政経癒着に引き継がれたので親日清算、歴史交代が必ずなければなりません。歴史を失えばその根を失うことになってしまいます。必ずしなければならない歴史的運命です〉

朴槿恵弾劾と逮捕の裏には北朝鮮との激しい戦いがあった。朴槿恵は二〇一五年十二月、当時の李炳浩《イビョンホ》・国家情報院長が企画した金正恩政権交代計画に署名していた。李炳浩国家情報院長は北朝鮮の国家保衛部幹部らで構成される秘密反体制組織が計画していた金正恩暗殺計画を支援していた。ロシア製毒ガスを使った暗殺計画は失敗し、反体制組織員らは家族とともに処刑された。この事件については拙著『韓国の大統領はなぜ逮捕されるのか』（草思社）に詳しく書いた。

そして北朝鮮は二〇一七年六月、朴槿恵前大統領と李炳浩・前国家情報院長の身柄引き渡しを公式に要求した。すると、文在寅政権は尹ら当時の検察を使い、突然、李炳浩・前国家情報院長を逮捕し、すでに逮捕されていた朴槿恵の罪状に国情院長から賄賂《わいろ》を受け取ったことを加えた。李炳浩・前国家情報院長が国情院の機密費の一部をこれまでの慣例に従って大統領府に回していたことを、朴槿恵への賄賂だと強弁するでたらめな逮捕だった。それくらい、文政権は北朝鮮にこびへつらっており、当時の尹は文在寅政権の言うとおり保守派を逮捕していた。

尹錫悦政権の前には、文在寅とその側近捜査をどう処理するのかという難題が立ちはだかっている。尹は選挙の最中に文在寅と、共に民主党の大統領候補だった李在明について、非理があれば捜査すると公約していた。その公約通り捜査が本格化すれば、文在寅と李在明逮捕はあり得る。すでに検察は二〇二三年二月に一度、李在明逮捕同意を国会に求め否決されている。

しかし、文在寅逮捕を断行すれば各界各層に根を深く張る従北左派勢力が、朴槿恵弾劾《だんがい》の時と同じくらいの激しさで反尹錫悦デモを行うだろう。政治的に捜査を止めれば今度は大統領選挙で尹を支持した勢力の間で大きな失望が生まれ、政権は求心力を失うかもしれない。

もし文在寅・李在明の両名が逮捕されれば、初めて従北左派の大統領と同候補の逮捕になる。それは韓国正常化への大きな一歩になるだろう。しかし、だからこそ、尹錫悦政権はその土台が揺さぶられるほどの激しい抵抗にあうはずだ。

その戦いに勝つためには、尹政権は「反日反韓史観」を武器にして韓国保守派をめちゃくちゃにした北朝鮮の工作と戦わなければならない。就任直後の尹にはその覚悟がないように、私には見えた。文政権の前半に韓国保守派を次々に逮捕していった責任者が尹錫悦検事だったからだ。

## 尹大統領演説の希望

ところが、尹大統領も歴史戦争、すなわち反日・反韓史観の克服がなければ韓国は正常化しないという強い危機感を持っていた。そこに私は希望を感じた。

尹大統領は二〇二三年六月二十八日、韓国自由総連盟創立第六十九周年記念式典の演説で、次のように明確に話した。

〈現在、私たちは多くの挑戦と危機に直面しています。組織的で持続的な虚偽の扇動と捏造、そして偽ニュースと怪談で自由大韓民国を揺さぶり威嚇し、国家アイデンティティを否定する勢力があまりにも多くいます。また、お金と出世のために彼らの側に立って反国家的な振る舞いをする人もとても多いです。自由大韓民国に対する確固たる信念と熱い愛を持った皆様が、この国を守らなければなりません。

そのために私たちは正しい歴史観、責任ある国家観、そして明確な安保観を持たなければなりません。

歪曲された歴史意識、無責任な国家観を持つ反国家勢力は、核武装を高度化する北韓共産集団に対して国連安保理制裁の解除を訴え、国連軍司令部を解体する終戦宣言の歌を歌い歩きました。北韓が再び侵略してくるとき国連軍司令部とその戦力が自動的に作動するのを防ぐための終戦宣言合唱であり、私たちを侵略しようとする敵の善意を信じるべきだという荒唐《こうとう》無稽《むけい》な偽平和的主張でした〉

ここでいわれる、対北朝鮮制裁解除を訴え、終戦宣言の歌を歌った「歪曲された歴史意識、無責任な国家観を持つ反国家勢力」とは、文在寅大統領とそれに従った勢力のことだ。名指しにはしていないが現職大統領が前任者を「反国家勢力」だと明言したのだ。尹錫悦大統領の韓国を守らなければならないという強い覚悟が伝わってくる。

ここで尹錫悦大統領は、文在寅たちのことを「組織的で持続的な虚偽の扇動と捏造、そして偽ニュースと怪談で自由大韓民国を揺さぶり威嚇し、国家アイデンティティを否定する勢力」と呼んでいる。

そして歴史認識問題の観点から注目すべきは、尹錫悦大統領が、文在寅勢力は「歪《わい》曲《きょく》された歴史意識を持つ反国家勢力だ」と断定し、それに対抗するために「正しい歴史観を持たなければならない」と明言していることだ。まさに歴史戦争なのだ。

尹大統領は結論部分で韓国を崩壊させようとする勢力がいたるところに厳然と存在すると強い危機感を表明している。

〈自由大韓民国を崩壊させようとしたり、自由大韓民国の発展を妨げようとする勢力が、国のいたるところに組織と勢力を構築しています。これは保守、進歩の問題ではありません。保守か進歩かというのは、自由民主主義という土台の上にあるものです。だからこれは保守、進歩の問題ではなく、大韓民国の自由大韓民国のアイデンティティを守らなければならないという問題です〉

韓国自由総連盟は反共主義に立つ国民運動体だから、このような反共の立場の演説を行うことは、ある意味容易だったかもしれない。しかし、尹大統領は二〇二三年八月十五日に光復節記念式典でも、やはり反日反韓史観を乗り越え、国内の反日左派を「反国家勢力」と規定する勇気ある演説を行った。名指しこそしていないが、大統領が「反国家勢力」としたのは明らかに文在寅、李在明ら現在の第一野党の新旧リーダーらであり、親北反日に固まっている左派労組、左派言論、学界などを指している。尹大統領は文在寅前大統領と、その支持基盤に対して宣戦布告をしたといえる。それを紹介しておく。

まず、尹大統領は独立運動を「自由民主主義国家を築くための建国運動」だったと規定し、「自由と人権が無視される共産全体主義の国になろうとするものではなおさらありませんでした」として、金日成らの共産主義者がソ連や中共の支援を受けて展開した抗日運動は独立運動ではないと言い切った。

〈われわれの独立運動は国民が主人である国、自由と人権、法治が尊重される自由民主主義国家を築くための建国運動でした。単に奪われた国権を取り戻すもの、あるいは過去の王政国家へ戻ろうとするものではありませんでした。自由と人権が無視される共産全体主義の国になろうとするものでは、なおさらありませんでした。それゆえ、われわれの独立運動は人類全体の観点から見ても普遍的で正義のあるものでした〉

そして、尹大統領は大韓民国の発展も独立運動の延長と位置づけた。

〈われわれの独立運動は、主権を回復して以降は共産勢力に立ち向かい、自由の大韓民国を守ることに、そして産業の発展と経済成長、民主化につながっていきました。今や独立運動の精神が世界の人々の自由と平和、繁栄のため国際社会で責任と寄与を果たすグローバル中枢国家のビジョンへとつながっています。〉

次に自由民主主義を選択した大韓民国の発展と、共産主義体制を選択した北朝鮮の貧困と窮乏のコントラストを強調する。朝鮮戦争を北朝鮮の侵略と明確に位置づけていること、北朝鮮について「七十年にわたり全体主義体制と抑圧の統治を続けてきた」としてはっきりと価値判断を下していることにも注目したい。

〈今年は朝鮮戦争の休戦協定締結七十周年、韓米同盟締結七十周年になる年です。われわれは共産勢力の侵略に立ち向かい、国連軍と共に戦ってわれわれの自由を守り、その後に漢江《ハンガン》の奇跡と呼ばれる産業化を成功させました。自由民主主義を樹立し、韓米同盟を構築した指導者たちの賢明な決断と国民の血と汗の上に、大韓民国は世界が驚く成長と繁栄を成し遂げたのです。

これに対し、同じ期間、七十年にわたり、全体主義体制と抑圧の統治を続けてきた北朝鮮は最悪の貧困と窮乏から抜け出せずにいます。自由民主主義を選択し、追求した大韓民国と共産全体主義を選択した北朝鮮の明らかな差が如実に表れたのです。

引き続いて尹大統領は国内に「共産全体主義に盲従《もうじゅう》」する「反国家勢力」が存在すると明確に断言した。その勢力のことを「全体主義勢力」とも言っている。

〈それにもかかわらず、共産全体主義に盲従し、操作扇動で世論を歪曲《わいきょく》し、社会をかく乱する反国家勢力が依然として横行しています。自由民主主義と共産全体主義が対決する分断の現実において、こうした反国家勢力の動きは容易には消えないでしょう。全体主義勢力は自由社会が保障する法的権利を十分に活用して自由社会をかく乱させ、攻撃してきました。これが全体主義勢力の生存方式なのです〉

ここで反国家勢力が容易に消えない理由として「全体主義勢力は自由社会が保障する法的権利を十分に活用して自由社会をかく乱させ、攻撃してきました。これが全体主義勢力の生存方式なのです」と主張していることはたいへん鋭い分析だ。

次に、この演説の真骨頂というべき主張が出てくる。

〈共産全体主義勢力は常に民主主義運動家、人権運動家、革新主義活動家に偽装し、虚偽の扇動と野卑《やひ》で人倫に外れた工作を行ってきました。われわれはこのような共産全体主義勢力、その盲従勢力、追従勢力に決してだまされたり、屈服したりしてはなりません。自由民主主義は必ず勝利するという信頼と確信、そしてわれわれ皆が力を合わせる連帯の精神が重要です〉

まさにその通りと、私は膝を打った。文在寅は「人権弁護士」と言われていたことを思い出す。「自由民主主義は必ず勝利するという信頼と確信」というフレーズは安倍元首相が提唱した価値観外交につながるものがある。

この立場から日本について歴史問題には一切触れず、ともに全体主義と戦うパートナーだと位置づけた。

〈日本はいまやわれわれと普遍的価値を共有し、共同の利益を追求するパートナーです。韓日両国は安保と経済の協力パートナーとして未来志向で協力・交流しながら、世界の平和と繁栄に共に寄与していけるのです〉

ただし、この演説は歴史戦争の面で画竜点睛《がりょうてんせい》を欠いた。今年は韓国が建国されて七十五周年になるのだが、そのことに触れなかったのだ。韓国の「全体主義勢力」はここ十年くらいの間に一九四八年の韓国の建国を否定するおかしな歴史観を拡散させている。一九一九年の臨時政府樹立が建国だというのだ。臨時政府は主権も領土も持たなかったのだから建国とは言えない。しかし、韓国という国を生まれたときから汚れているとして否定する反日反韓史観に立つ反国家勢力は、一九四八年の韓国建国をなんとか否定したいので、苦肉の策として一九一九年建国説を持ち出している。

尹錫悦大統領は独立運動を建国運動だと規定したのだから当然、その成果として一九四八年の建国があったと考えているはずだ。ところが、演説で建国七十五周年という重要なポイントに触れなかった。

## 慰安婦問題は反日勢力がつくり上げた嘘

「もし、三月の大統領選挙で文在寅の後継者である左派の李在明が当選していたら、韓国の自由民主主義は取り返しのつかないところまで破壊されていたはずだ。尹錫悦が当選したことで、われわれは尹錫悦大統領の任期である五年という時間を得た。この時間を利用して文在寅が破壊した自由民主主義をどこまで回復させられるのかが勝負だ」

二〇二二年八月下旬、二年半ぶりにソウルを訪れた私に、韓国の自由保守派のリーダーである趙甲済《チョガプチェ》氏が語った。

わずか〇・七%の差で尹錫悦に破れた李在明は大統領選で「親日称賛禁止法」をつくると公約していた。だから、李政権が成立していれば、私も捜査を受けたかもしれない。というのも、元慰安婦らは、同年七月に『反日種族主義』著者の李栄薫《イヨンフン》・前ソウル大学教授や李宇衍《イウヨン》・落星台《ナクソンデ》研究所研究委員らを名誉毀損《きそん》と国家保安法違反で訴えたが、刑事告訴状には、「西岡力」という名前が二カ所出てきたからだ。

〈慰安婦は日本政府当局の強制募集がなかったという事実を前提にした表現であり（略）これらの内容は秦郁彦や日本の西岡力のような代表的右派論客がしてきた主張であり、慰安婦募集過程で強制連行や就業詐欺《さぎ》があったとしても、その責任は募集業者にあるという論理は、日本の右派論客たちの専有物です。

すなわち、被告訴人たちは日本の右派論客たちが喜んで使用する論理をそのまま借用して、自身の著書で慰安婦関連の歴史的事実に関して虚偽事実を記述したということです〉

〈被告訴人②李宇衍は、実際に朝鮮人に対する強制徴用が実施された時期は一九四四年九月から一九四五年四月までの約八カ月の「徴用」時期だけで、一九三九年九月から実施された「募集」とその後につづいた「官斡旋《あっせん》」は強制連行ではなく、朝鮮人たちが自発的に参加した日本行きだったとする、日本の右派論客・西岡力の「強制連行虚構論」をそのまま受容しました〉

李栄薫前教授に会い、刑事告訴が現在どのようになっているか尋ねたところ、告訴後すぐ警察に呼ばれて調査を受けたが、その後、起訴されるのかどうかの処分が下らずにいる段階が続いているという。つまり、いまだに刑事事件の被告として法廷に引き出される可能性が残っている。そして、『反日種族主義』の内容をもとに慰安婦問題に関して大学で講義を行った柳錫春《ユソクチュン》・前延世大学教授は、二〇二〇年十一月、名誉毀損で刑事起訴された。その裁判は今も続いている。大学の講義内容が刑事事件となり、教授が裁かれようとしているのだ。文在寅政権下で韓国の学問の自由は大きく侵害されていた。

ただ、尹錫悦政権になり、歴史問題に関する言論の自由はまだ死んではいなかった。むしろ、歴史の真実に関する言論活動と街頭でのデモまでもが活発に行われていた。そのことを私は体験した。

約一週間のソウル滞在中に、保守派を代表する三つのユーチューブ放送に一時間ずつ出演した。「ペンアンドマイクTV」（登録者数：約八十一・六万人）では、同テレビ局の創設者である鄭奎載《チョンギュジェ》・元韓国経済新聞主筆から主として慰安婦問題に関するインタビューを受け（「私の慰安婦闘争」八月十八日）、「趙甲済TV」（登録者数：約四十五万人）では、趙甲済氏と安倍元首相の業績、日韓関係、大統領選挙、尹錫悦政権などについて対談し（「『ラストサムライ』安倍晋三の生と死」八月二十四日）、「李承晩TV」（登録者数：約九・七万人）では、李栄薫氏と戦時労働者問題の歴史的真実、日本企業に賠償支払いを求めた韓国最高裁判決の不当性などについて話し合った（「韓日友好どう復活させるか」八月二十四日）。

私はこれまでにも「趙甲済TV」には数回出たことがあるし、国際会議などでも何回も発表をしたことがある。しかし、そのテーマは主として拉致問題、北朝鮮問題、韓国の内政を外国人としてどう見るかなどであって、歴史問題に関して話したことはなかった。過去には、北朝鮮問題で講演をしてほしいと呼ばれながら、慰安婦強制連行を否定する西岡の講演を阻止するという脅迫を受け、主催者が私の発表を急遽キャンセルしたこともあった。すでに韓国に入っていた私は発表者席ではなく、聴衆席でその会議に参加した苦い思い出もある。

しかし、今回の場合はこれまでとは大きく異なっていた。尹錫悦政権の韓国で日韓の歴史問題について、私の持論を聞きたいという韓国の保守派がかなりいることを体験的に知り、心が揺さぶられるほどうれしかった。

一方、尹政権になっても韓国の自由民主主義の危機は続いていた。

日韓のマスコミはほとんど報じていないが、そのことを象徴する重大事件が、私が訪韓する直前の二〇二二年八月十五日に起きていた。その日、ソウルの中心部で数万人の保守派が集まり「自由統一、主思派剔抉《てっけつ》、8・15国民大会」が開かれた。北朝鮮に風船ビラを送り続けている脱北人権活動家の朴相学《パクサンハク》氏が演説のために舞台に上がろうとしたとき、五十代の男が「殺すぞ」と叫んで、一・三メートルほどの鉄パイプで朴氏の頭を殴ろうとした。とっさに朴氏が右手で頭をかばった。朴氏はひどい痛みで一時的に意識をなくし病院に運ばれた。右手を骨折し、入院して治療を受けた。

その五日前の八月十日、北朝鮮では金正恩や党の最高幹部らが皆出席し、新型コロナを完全に撲滅したとする全国非常防疫総括会議が開かれた。そこで、金与正《キムヨジョン》副部長は、韓国から飛んできたビラにウイルスがついていたことが北朝鮮で新型コロナが蔓延した理由だから必ず報復する、と、次のような激しい言葉でテロ宣言を行った。

「問題は、傀儡《かいらい》が今も引き続きビラと汚らわしい物品を送り込んでいるということにある。われわれは必ず、強力な対応をしなければならない。すでに、いろいろな対応案が検討されているが、さらに強力な報復を加えなければならない。もし、敵がわが共和国にウイルスが流入しかねない危険な行為を引き続き行う場合、われわれはウイルスはもちろん、南朝鮮当局の連中も撲滅することで応えるであろう」

逮捕された朴氏襲撃犯人は釜山に住む水産物納品の仕事をしているという李ハグン(五十五歳)だった。彼は留置所へ面会に来た左派ネットメディア「民プレス」記者に、犯行動機について、尹錫悦政権は法律に反する朴の活動を防がず、処罰もしないので、自分が処罰しようとしたと語った。

驚いたことに「民プレス」は、八月十日、北朝鮮の金与正副部長が韓国から飛んできたビラにウイルスがついていたことが北朝鮮で新型コロナが蔓延した理由だから必ず報復すると宣言したことを紹介し、ビラ送付は「危機が高まる南北関係に火薬の火をつけるものだ」として、朴氏を襲った李を「偉人」と書いた。李が収監されている警察署の前では、左派活動家が「朴相学から処罰せよ」というプラカードを持ってデモを行った。

脱北者人権活動家らが入院中の朴氏と一緒に緊急記者会見を開いても、韓国の新聞・TVはまったく報じなかった。尹錫悦政権幹部も保守与党政治家も、誰も事件について触れていない。だから、日本のマスコミもまったく報じない。朴氏は退院直後の九月四日、北朝鮮に風船で医薬品を大量に送り、テロに負けない姿勢を示した。

## 手には韓国の国旗・太極旗と日章旗が

私は二〇二三年三月、韓国を再び訪れた。そこで尹政権下で歴史問題に関する言論の自由が死んでいない、むしろ歴史の真実を主張する勢力が力強く活動していることを体験した。三月十五日から六日間、私が会長をしている歴史認識問題研究会（以下、歴認研）のメンバー一六人で、韓国における歴史戦を現地調査するために訪韓した。

訪韓二日目の三月十六日、尹大統領が訪日し、岸田文雄首相と首脳会談を行い、日韓関係が動いたその時期に、韓国の現地にいてその雰囲気を知ることができた。街には「日本が仕出かしたのに、なぜ韓国がカネを払うのか」という左派野党・共に民主党の横断幕があちこちに掲げられていた。

尹政権が打ち出した、二〇一八年の韓国最高裁判決で日本企業に命じられた賠償金の支払いを韓国政府傘下の財団が代わりに支払うという、戦時労働問題の「解決策」に対して、屈辱的だとする批判が高まっていることが分かった。

三月十五日、私たちは朝早い飛行機で東京を出発し、ソウルについてすぐ、旧日本大使館前の慰安婦像付近に向かった。そこでは反日団体「正義連」（旧挺対協）が毎週水曜日十二時から反日集会を開いている。その反日集会は一九九二年からずっと行われてきた。大使館前の政治集会は国際法違反であるが、「文化集会」「記者会見」などという名目で韓国政府はそれを黙認していた。

そんな中、『反日種族主義』が出版された二〇一九年十二月、同書の共著者である李宇衍博士がなんと単身、正義連の集会のすぐ横で「慰安婦像撤去、水曜集会中止」を求めるデモを始めた。当初は暴行に遭ったり、小麦粉をかけられたりする妨害を受けたが、『赤い水曜日　慰安婦運動30年の嘘』の著者の金柄憲《キムビョンホン》氏らが合流して「慰安婦詐欺清算連帯」を結成し、次第に参加者が増えた。

私も二〇二〇年二月、マスクと帽子をかぶって一度参加したことがあった。そのときは、日本の保守反動極右学者（韓国マスコミは私のことをそう書いてきた）が参加したとして、韓国マスコミが李宇衍氏たちを批判することを恐れて、身分を明かさず黙っていた。

ところが、その日、現場に行くと、驚くべき光景に出会った。私たちを大歓迎してくれた慰安婦詐欺清算連帯の集会の参加者数が、史上初めて正義連の反日集会の参加者数を上回ったのだ。正義連の集会は尹錫悦訪日の直前で反日が盛り上がっているはずなのにもかかわらず、わずか三十人あまりだった。通常一時間くらい行う反日集会はその日、四十分くらいで終わってしまった。

そして、慰安婦詐欺清算連帯の集会は、なんとその三倍の約九十人が集まった。慰安婦像のすぐ横にトラックを改造した演台が置かれ、その前に約九十人の老若男女が地面に腰をおろして弁士の熱弁に歓声を上げた。そして、参加者は手に手に韓国の国旗である太極旗と日章旗を持っていた。中には大きな日章旗を振っている青年もいた。集会の後半、私が演台に上がって次のような演説をした。みな、日章旗を振って大歓声で迎えてくれた。

〈みなさん、こんにちは。西岡力です［大きな拍手と歓声］。お目にかかれてうれしいです。

これが私の書いた本です［拙著『よくわかる慰安婦問題』〈草思社〉の韓国語版を高く掲げて］。

私は一九九一年から慰安婦の嘘と戦ってきました。たいへん申し訳ありません。それは日本から始まりました。日本の左翼が嘘をでっち上げて、それを韓国に輸出しました。

それを利用した人間が尹美香《ユンミヒャン》［挺対協前代表］ですよ。尹貞玉《ユンジョンオク》［初代挺対協会長］ですよ。さきほど、尹貞玉がハンギョレ新聞に（一九九〇年一月に慰安婦問題について）連載をしたという話が出ましたが、私はそれを読んでみました。全部、吉田清治などから日本でこのような話を聞いたなどという話しでした。ですから、慰安婦の嘘を日本から韓国に輸出したのが尹貞玉です。

日本には朝日新聞という左派新聞があります。九一年の一年かけて、慰安婦について大々的に報道しました。二日に一回程度、慰安婦報道をしました。挺身隊という公的制度を使って慰安婦を強制連行したという嘘を大々的に報じました。

吉田清治が済州島に行って日本軍の命令を受けて女子挺身隊という名で朝鮮女性を慰安婦にした、本人がそう話していると書きました。加害者が出てきたのです。ところが、被害者がいなかった。

そのときは、挺身隊出身者はみな、工場に行った人たちで、慰安婦として行った人はいなかった。一九九一年八月、金学順《キムハクスン》という方が、初めて自分が慰安婦だったと出てきました。それを世界的に特ダネとしたのが朝日新聞です。韓国の新聞より先に書きました。その記事で、女子挺身隊の名で日本軍によって連行され、売春を強要された朝鮮人慰安婦のおばあさんが一人生きていた、女子挺身隊という名で日本軍によって戦場に連行されたと書いたのです。

強制連行したという人がいて、やられたという人が出てきました。そこで日本国中が嘘を信じてしまった。当時、日本では挺身隊は勤労動員であって慰安婦とは関係ないということを知っていましたが、やったという人とやられたという人が出てきたので詐欺にあったのです。

それで、私が調べてみました。そのときは、皆さんが引用している挺対協の証言集はまだありませんでした。金学順氏とインタビューした記事がありました。それを読むと貧しくて四十円でキーセンの家に売られたと言っていた。女子挺身隊とは何の関係もない、日本軍とも何の関係もありませんでした。ところが、朝日がそれを知っていながら嘘を書いたのです。

それで私が一九九二年に『文藝春秋』という月刊誌にこれは嘘だ、詐欺だと書きました。九二年に書いたのです。そのときは、日本国内でもごく少数派でした。一%くらいしかいなかった。抗議もたくさん受けました。苦労も少ししました。私が前に勤務していた大学を辞めることになった。それでも継続して事実は事実だ、証拠がある、女子挺身隊と慰安婦は何の関係もない、慰安婦は貧しさの犠牲者であって日本軍の犠牲者ではない。貧しさの犠牲者を尹美香のような政治運動家が自分たちの金儲けの手段として利用したのです。今、金柄憲所長がここでおっしゃっている主張と同じことを私は三十年間、日本で叫んできました。

すると、二〇一四年になって、朝日新聞が誤報を認めました。吉田の記事は信憑《しんぴょう》性がないとして取り消しました［聴衆から日本語で「吉田の嘘つき！」］。ところが、韓国の言論が朝日が取り消したという記事を書かないのです。日本が不良品を輸出しましたが、その製造業者が嘘を認めて謝罪をしたのに、買った人がまだその嘘を売り続けています。これが慰安婦問題の真実です。

ところが、朝日の記者が私を告訴しました。名誉毀損で告訴しましたが、裁判で私が勝ちました。最高裁判所まで行って私が勝ちました［大歓声］。

最高裁判所の判決では、植村という朝日記者が書いた記事は捏造《ねつぞう》とされています。名誉毀損裁判では真実でなくて真実相当性だけを証明すれば勝ちます。そのときの状況で真実だと信じるに足る理由があると証明すれば勝てるのですが、判決では西岡の主張は真実だと書きました。完全に勝ったのです。最高裁判所は朝日が捏造をした、嘘を書いたと認めたのです。それも韓国が輸入しなければなりません。

それを一生懸命輸入して下さっているのが、ここにいる皆さん、金柄憲所長や李宇衍博士たちです。

われわれの敵は一つです。それは嘘です。嘘の勢力、全体主義の勢力です。その嘘の勢力とわれわれは最後まで戦って勝ちましょう。ありがとうございます〔拍手〕〉

## 朝鮮人戦時労働の衝撃的な最新研究

尹錫悦政権下でも日韓の歴史戦は続いている。日本政府はユネスコの世界遺産に「佐渡島の金山」を登録しようと二〇二二年二月に申請した。それに対して当時の文在寅政権は佐渡金山が朝鮮人強制連行と奴隷労働の現場だったという理由をあげ、政府一丸で登録を阻止しようと動いた。それに対して私は仲間たちと佐渡金山を含む戦時中の朝鮮人労務動員は強制連行・奴隷労働ではなかったという主張をし、民間の立場から登録実現に協力している。

私が会長をしている歴史認識問題研究会は、二〇二二年七月九日と七月十日、東京と新潟で日韓学術講演会「佐渡金山と朝鮮人戦時労働者」を開催した。韓国より『反日種族主義』(二〇一九年)の共著者である李宇衍氏を招き、日本側の私と二人の専門家がそれぞれの観点から、佐渡金山は朝鮮人強制労働の現場ではないという事実を学術的に証明した。

まず、李宇衍氏の講演を紹介したい。冒頭で李氏は、

・朝鮮人の強制連行と強制労働は神話である
・戦時中の日本は朝鮮と比べて仕事も多く賃金も高かったので、朝鮮人の多くが日本行きに憧れていた
・多くの朝鮮人が短期で日本へ働きに行き、大金を手に入れることができた
・自身の借金を返済して土地を購入した者もおり、当時の朝鮮人にとって戦時動員とは主体的で積極的な成功であった
・経済的な視点で見ると、成功した海外移民といえる
・特殊な点は、平時ではなく戦時であったことと、独立国ではなく植民地状態であったことであった
・一九三九年から一九四五年の朝鮮人の戦時動員は、強制連行ではなく移民と同質であった

と主張した。李氏は以下のように具体的に論拠を列挙した。当時の朝鮮半島で朝鮮人を強制的に動員することはできなかった。理由は、地方行政組織役人と警察のほとんどは朝鮮人であり、動員の際は本人の自発的意思が大切であり、断っても処罰できなかったからだ。一九四四年九月からの徴用で初めて法的な処罰が適用されたが、徴用命令書作成から対象者の集合までの手続きは煩雑《はんざつ》で二週間ほど時間がかかり、徴用も奴隷狩りのような強制連行とは言えない。

韓国の一部では強制連行されたと主張している人々が存在する。これには理由がある。一九五〇年からの朝鮮戦争で韓国では街頭徴用が行われた。店や畑で働いている青年を軍が連れ出して動員した。学校前で待ち構えて、学生たちをトラックに載せて学徒兵としたこともあり、その総数は三十万人とも言われる。そのような記憶が植民地時代の記憶と混ざって混乱してしまった。

強制労働を主張する人々は、死亡率が日本人より高かったことを論拠に挙げるが、朝鮮人の作業経験が足りなかったからであり、奴隷のような労働をさせられていたからではない。

日本国内の六十カ所の炭鉱の日本人と朝鮮人の賃金を比較し、三十五カ所の炭鉱では日本人の賃金が朝鮮人より一〇～二〇％高かったが、残りの二十五カ所の炭鉱では朝鮮人の賃金の方が日本人より高かったことを確認した。当時、賃金は出来高制であり、成果によって賃金が決定した。朝鮮人は勤続年数が少ないことによる技術不足のため賃金が少なかった。民族差別による不当な低賃金ではなかった。

佐渡金山の一九四〇年の平均賃金（月収）は六十六円七十七銭、四三年の平均賃金は八十二円四十四銭、同じ金山である北海道の住友鴻之舞《こうのまい》金山では、三七年の平均賃金は六十円二十銭、四三年の平均賃金は七十九円七十七銭であり、ほぼ同じ水準だ。

一九四〇年のソウル紡績（綿加工）男工のひと月の給与は十四円、同年のソウル男性銀行員は三十円八十銭、四三年の東京の公立小学校教員の初任給が五十五円、四四年の日本人巡査の初任給は四十五円だった。

日本の会社が朝鮮人から諸経費と称して賃金を巻き上げ、残りの金額も強制貯金させられて、彼らの手もとに残る賃金は少なかった、と強制連行・強制労働を唱える人々は主張する。しかし、佐渡金山の賃金の内訳を見てみると、食事代や強制貯金などを差し引いても約四十円は手もとに残っていた。そのお金で酒を飲み、博打《ばくち》をしたり、家族に送金をすることもできた。これは賃金が手もとに残っていなければできなかったことだ。佐渡金山に千五百十九人の朝鮮人が動員されたが、徴用は三百～五百名と思われる。四分の三の朝鮮人が自分の意思で佐渡に渡ったのだ。終戦後、すぐに朝鮮半島に帰った朝鮮人労働者の未払いの賃金、保険金などがあった。佐渡金山では千百四十名の供託金の資料が残っており、一人あたり二百二円の供託金があった。

一九四五年の佐渡金山の賃金（月収）は一人あたり百円くらいだから、一人の供託金は約二カ月分だ。これは裏を返せば、終戦直前以外のすべての時期では正常に賃金が支払われていたことの証明になる。

私が驚いた李氏の研究は、栄養状態調査だ。最近の韓国での研究によると、朝鮮半島南部にいた朝鮮人の平均摂取カロリーは戦時中、千三百～千七百キロカロリーだった。一方、日本で働いた朝鮮人らの配給量からカロリー計算をした結果、一九四五年では朝鮮半島南部の人々の一・八倍のカロリーを取っていた。さすがに経済史学者で統計を使った素晴らしい分析だ。

李氏は最後に、戦時期に渡日した朝鮮人は合計二百四十万人だったが、そのうち法的強制力がある動員は二十万人だったと指摘した上で、「渡日した朝鮮人はほとんどが朝鮮半島南部の二十～三十代の青年層であり、一九四五年の朝鮮南部地域の人口は千五百八十万人だから男性は七百九十万人、そのうち二十～三十代は五百万人だ。つまり、朝鮮南部地域における二十～三十代の男性の約半分にあたる二百四十万人が日本の近代的な工場、炭鉱、鉱山、建築現場で労働を経験した。その人材が一九六〇年代産業の第一線で、韓国の工業化をリードした」と主張した。

一九三九年～四五年に起きた朝鮮半島から日本への移動は、朝鮮人の短期的な海外移民だった。戦時労務動員の経験は戦後の韓国の産業化に役立つ側面があった。奴隷の歴史ではない。これが李氏の主張だ。

李氏は、日本から見れば、動員された人々と見えるかもしれないが、朝鮮人から見ると戦争という機会を活用した移民であり、朝鮮人の短期移民は彼らが勝利した歴史とも言えるので、佐渡金山が世界遺産登録されることは朝鮮人の勝利としても祝うことができる、と力強く語った。

この主張は私にとって刺激的だった。私は同じ統計を使って、当時、朝鮮から内地に雪崩《なだれ》のような労働者移動が起こり、二百四十万人が内地に渡航したが、そのうち日本政府が組織的に動員できたのは二五％の六十万人だけであり、その動員対象者も契約期限前に約四〇％がより良い条件の職場を求めて逃亡し、終戦時に動員現場に残っていたのは約三十万人だけだった。つまり、戦争遂行に必要な炭鉱、鉱山、軍需工場、工事現場に朝鮮人労働者を集団移入しようとした戦時動員政策は失敗だったという学説を主張していたからだ。

二〇〇五年に上梓した拙著『日韓「歴史問題」の真実』（PHP研究所）で発表し、その後も研究を続けて一九年に拙著『でっちあげの徴用工問題』（草思社）、二一年に編著『朝鮮人戦時労働の実態』（産業遺産国民会議）で、その学説をより発展させた。

同じ事象を見ても、日本から見るのと韓国から見るのとでは評価が異なる。それを知ることができたのが、今回の日韓学術講演会の醍醐味《だいごみ》だった。

## レーダー照射事件の驚くべき事実が発覚！

最後に衝撃のスクープでこの章をしめくくろう。

文在寅政権は数々の反日政策を実行したが、その代表である朝鮮人戦時労働者への補償を日本企業に命じた韓国司法の不当判決問題は、尹大統領の決断で一応の解決を見た。ところが二〇一八年十二月に起きた自衛隊機への火器管制レーダー照射事件は、尹錫悦政権になっても未解決のままだ。ここで、私が入手した驚くべき情報を紹介しよう。あの事件は、北朝鮮と当時の文在寅政権が共謀して起こしたという情報だ。

二〇一八年十二月、日本海で漂流中の北朝鮮の木造船を韓国の海軍イージス艦と海洋警察大型船の二隻が救助していた。そこに海上自衛隊の哨戒機が近づいた。ところが、イージス艦が哨戒機に向けて攻撃用レーダーを照射した。自衛隊機では危険を知らせるアラームが鳴った。

日本の抗議に対して文在寅政権はレーダー照射がなかったと開き直り、謝罪も再発防止約束もしないという非友好的な態度をとり続けた。自衛隊幹部はみな、韓国に強い不信感を持っている。この状態では、日韓の安保協力は困難だ。

一体、韓国海軍は自衛隊に何を見せたくなかったのか。木造船には無線は積まれていなかった。日本の海上保安庁も自衛隊も救助信号を受信していない。なぜ、韓国海軍は木造船がそこにいることを知ったのか。木造船に乗っていた四人のうち、一人はすでに死亡しており、残り三人も衰弱していたはずだが、わずか二日後に北朝鮮に送還された。彼らに関する情報は一切公表されていない。

筆者が北朝鮮筋から聞いた話は衝撃的だった。

〈二〇一八年五月から十二月にかけて、金正恩の警護を担当する護衛司令部で大規模な粛正があった。米軍に金正恩の居場所を教える装置が装着されていたスマホ約二百台が司令部内で多数発見されたことが契機だった。複数の幹部が米国情報機関に買収され、それらスマホを金正恩が立ち寄る特別施設にあらかじめ隠匿《いんとく》しておき、金正恩が出現したとき、スマホを使い位置情報を衛星経由で米国に発信していたことが発覚したのだ。そのスマホは東南アジアなどで米国情報員と接触した護衛司令部直属の東洋貿易総会社の関係者が持ち込んだものだった。護衛司令部の多数の幹部が免職、逮捕、銃殺され、東洋貿易総会社の社長と幹部も銃殺された。尹正麟《ユンジョンリン》・護衛司令官、金ソンドク・政治委員、金エスク・財政局長らも銃殺された。

粛正が最終段階に入り下部組織に及んだとき、東洋貿易総会社直属の水産基地の幹部らに対して組織指導部八課（保衛省担当）から逮捕命令が出た。そのうち、四人の幹部が自分らが運営していた水産基地の漁船で逃走した。まず、公海に出て日本に亡命する計画だった。韓国への逃走は当時、文在寅政権と金正恩との信頼関係が強く、強制送還される恐れがあるので日本に行こうとしたという。

北朝鮮当局はそれを知って海上警戒令を下したが、その四人を捕まえられなかった。四人以外にも数十人が中国に逃げようとしたが逮捕、銃殺されたらしい。

北朝鮮側から朝鮮の船舶が漂流しているので救助してほしいと文在寅政権に連絡をした。文在寅政権は軍艦まで動員して漂流していた船を見つけた。四人のうち一人は死亡していた。文在寅政権は三人について、きちんと調査をせず、三日後に北朝鮮側に引き渡した。引き渡された三人は調査を受け銃殺された。

連絡は文在寅政権下の青瓦台安保室と北朝鮮の書記室間の直通電話ラインで行われた。同ラインは二〇一八年から稼働していた。しばしばこのラインで北朝鮮の意思が韓国政府に伝えていた。自衛隊機事件はその一部に過ぎない。北朝鮮が要求したため、海上で脱北者は捕まり、大部分は送還された〉

この情報について私は、かなり信憑《しんぴょう》性があると判断している。その理由は以下のような体験があるからだ。二〇一七年秋、核実験とミサイル発射で挑発を続ける北朝鮮に対して米国トランプ政権が斬首作戦、すなわち金正恩暗殺作戦の準備をしていた。その頃、米軍情報関係者が筆者に「われわれは金正恩が今どこにいるかを知っている」

いていたことを私は確認している。同じ時期、ある自衛隊幹部が在日米軍幹部から同じ話を聞いていたことを私は確認している。

粛正が終わった頃、同じ米軍情報関係者は私にスマホに位置情報を衛星経由で知らせる装置を装着し、北朝鮮内に持ち込んでいたとも話した。

私は事件発生直後からずっと、日韓関係正常化のためには、韓国政府がレーダー照射のあったことを認め、徹底した調査により真相を把握し、責任の所在を明らかにして再発防止を約束することが不可欠だと主張してきた。

ところが、尹錫悦政権はいまだにレーダー照射そのものを否定した文在寅政権の立場を引き継いでいる。韓国国防部のチョン・ハギュ・報道官は尹錫悦政権が「解決策」を公表した三月七日の会見で、「哨戒機に関連する案件は強制徴用問題と関係のないもの」だとしたうえで、「軍の立場はこれまでと変わっておらず、今後望ましい解決策を模索する必要がある」と述べた。つまり、従来の立場を堅持すると明言した。

二〇二三年二月十六日に発表された尹錫悦政権初の国防白書『国防白書2022』でも、この事件について文在寅政権時代と同じように、レーダー照射そのものを否定し、自衛隊機が韓国駆逐艦に危険な接近飛行をしたと次のように書いている。

「日本側は二〇一八年十二月、救助活動中だった我が国艦艇に対する日本哨戒機の近接危険飛行を正常的な飛行だと主張し、我が国艦艇が追跡レーダーを照射しなかったことを数回確認したにもかかわらず、事実確認なしに一方的に照射があったと発表」（174頁）

尹錫悦大統領訪日後の三月二十三日にも、韓国の李鐘燮《イジョンソプ》・国防部長官は国会国防委員会で「われわれの立場はレーダーを照射しなかったというもので、日本（の立場）はレーダーを照射したというもの」「（哨戒機が当時）威嚇飛行したのは間違いない」とも語った。この尹錫悦政権の対応に抗議すべき浜田靖一防衛相と海上自衛隊トップの酒井良海上幕僚長が、韓国海軍駆逐艦による海上自衛隊哨戒機への火器管制用レーダー照射問題を事実上、棚上げにして日韓防衛協力を進めている。

浜田防衛相は二〇二三年六月四日、シンガポールで行われた李鐘燮・国防部長官との会談で、同問題を棚上げにし、再発防止のための実務協議を行うことで合意した。その上、酒井海上幕僚長は六日の記者会見で「事実関係の追求より、今後の連携体制を早期に確立することの方がより重要だ」との見解を示した。

尹錫悦大統領は三月、東京で持たれた首脳会談でレーダー照射問題を含めた安保上の懸案を切り出した岸田文雄首相に、事実を否定するこれまでの韓国政府の立場に触れず、「この問題は互いの信頼関係に問題があって発生した。これから信頼関係が生まれていけば、互いの主張をかみ合わせていける」と語り返したという（『産経新聞』二〇二三年三月十七日付）。

先述の私の情報が正しければ、レーダー照射事件の真相を解明すれば、文在寅前大統領ら前政権最高幹部を国家反逆罪で裁かなければならなくなる。政治的な負担がかなり大きい尹錫悦政権にその覚悟と政治的な力量があるのかどうかについて、韓国の専門家の間でも見方は二つに分かれている。

筆者は三月中旬に訪韓し、情報機関に近い筋からこう聞いた。

「尹錫悦政権は文在寅逮捕の準備をしているが、まず、李在明・共に民主党代表の逮捕が先と考え、それが一定程度整理された後、文在寅逮捕にとりかかる予定だ。李在明の犯罪を捜査するため検察内に検事六十人のチームが組織されているが、最近、文在寅の犯罪を捜査するため、検事九十人のチームが組織された。国家情報院も北朝鮮につながる情報源に対して、文在寅と北朝鮮とのつながりを証明する証拠や情報を高く買うと伝えている」

この話が正確なら、尹錫悦大統領の「これから信頼関係が生まれていけば、互いの主張をかみ合わせていける」という発言は、自分の任期中にレーダー照射事件を含む文在寅政権中枢の国家反逆罪を暴く心づもりから発せられたものと解釈することもできる。

韓国検察はすでに同事件の捜査を進めている。二〇二二年八月、私の旧知の韓国の人権活動家がレーダー照射をした駆逐艦の艦長と、同じ場所で北朝鮮木造船の救助をした韓国海洋警察の大型船艦長をソウル地検に告発した。木造船に乗っていた脱北者の保護をきちんと行わず、調査もせずに北朝鮮に送還してしまったことに対して、公務員政治的中立義務違反、北韓離脱民保護および定着支援違反などの罪状だ。検察は二〇二三年三月、「被告発人の調査を行った」と捜査を進めていることを告発人に伝えている。駆逐艦の艦長は現在、駐英国韓国大使館武官をしているが彼への調査も行われた。あるタイミングで尹錫悦大統領が文在寅前大統領逮捕という政治的決断を行い、事件の真相を明らかにする可能性も十分ある。そうなれば、自衛官の安全を無視して真相究明を放棄した防衛相と海上幕僚長は大恥をかく。

同事件の真相が解明され責任者が処罰されなければ、韓国政府と軍の中に、北朝鮮とつながる勢力が尹錫悦政権下でも存在していることになる。そのような状態で日韓の軍事協力を続けるには限界がある。そのことをきちんと認識しつつ、尹錫悦政権との関係改善を慎重に進めるしかない。

6章

# 見えてきた、拉致問題解決の日

## ――追い込まれる北朝鮮、最後の一手を打つか

# 拉致被害者の死を勝手に断定する愚

本書では、1章から3章で、経済制裁が効果を上げ、北朝鮮は未曾有《みぞう》の食糧難を迎え治安が悪化し、人民と幹部の不満が高まるなど内部矛盾が高まっていることを報告した。

4章で北朝鮮が核攻撃恫喝《どうかつ》を繰り返し、それに対して尹錫悦《ユンソンニョル》韓国大統領が圧倒的な力による抑止をかかげて対抗している構図を概観した。

5章では尹錫悦大統領が先頭に立って、国内の北朝鮮とつながる反国家勢力と激しく戦っていること、その最前線が歴史戦争であり、私も韓国の心ある保守派とともに、そこに加わって戦っていることなどについて書いた。

以上から、

・当面、南北や米朝が対話を本格化する見通しはなく、核ミサイル問題も進展する展望はないこと

・経済制裁が効果を上げ食糧難のため、北朝鮮は体制の危機を迎えていること

・被害者家族の高齢化が進み、親の世代の家族会メンバーは二人だけになってしまい、解決のための時間に制約があることが分かった。また、

も重たい現実だ。

本章では、それらのことを前提に拉致被害者を救う方策を論じる。結論を先に書けば、岸田政権の下で全拉致被害者の即時一括帰国が実現する可能性が見えてきた。拉致被害者救出は最後の勝負の時を迎えている。

二〇二一年十月十一日、私が会長をしている救う会は、立憲民主党の生方幸夫《うぶかたゆきお》議員（当時）が横田めぐみさんをはじめとする北朝鮮拉致被害者は「生きていない」などという、とんでもない暴言を拡散していたことを明らかにして、家族会と連名で抗議文を出した。この抗議文が生方暴言を報じた最初だったから、これは抗議文でありながらスクープだった。生方議員が松戸で開いた国際報告会（同年九月二十三日）でとんでもない発言をしたという通報をもらい調べたところ、ネット上にそのときのやりとりの動画がアップされていることがわかり、抗議文をまとめた。

生方暴言の主要部分を紹介する。


〈【生方議員】拉致問題は、こんなこと言ったら悪いのかもしれないけれど、本当にあるのかどうか、ないんじゃないか、少なくとも、何ですか、亡くなった小さい女の子、中学生かなんかで。

【質問者】横田めぐみさん。

【生方議員】横田さん。横田さんが生きているというとは誰も思っていないのです、自民党の議員も。生きていたら何で帰さないの。生きているなら帰すではないですか。帰さない理由はまったくない〉

ここで、まず驚くのは生方氏が六選目のベテラン国会議員であるにもかかわらず、横田めぐみさんの名前すら忘れていたということだ。それでいながら、「横田さんが生きているというとは誰も思っていないのです、自民党の議員も」と人の命にかかわる重大な人権問題について断定形ででたらめなことを語った。

また、発言の後半で質問者が少し怒ったような口調で横田さんについて質問した後、次のような断定口調で答えた。

〈【質問者】横田さんは生きていないということですか。

【生方議員】生きていないですね。

【質問者】それは何でわかるのですか。

【生方議員】だから、生きていない。私が生きていますというのも証明することができないのですけれど、客観的情勢を考えて、横田さんが生きていたら帰すのではないですか。帰さない理由はないでしょう。生きているのだったら何かに使いたいわけでしょう。もし生きていて彼らが保持しているのではないか、何かに使いたい。では何かに使ったことがあるかというなら、一回も使ったことがないですから、亡くなってしまっているから使いようがない。生きていた方は帰した。それを考えるとあそこで帰す人と帰さない人を選別する理由がまったくなかったのですから、亡くなったというふうに。彼らを信用するか信用しないは別ですよ〉

繰り返して横田めぐみさんは生きていないと、説得しようとしている。一体どこの国の国会議員かと思うしかない。

## あまりにも無責任な暴言録

この暴言以外にも、生方氏は横田めぐみさんについて、ひどいことを口にしていた。

〈遺骨を送ってきて日本で鑑定をして当人ではないと言ったのですけれども、あのときの状況で遺骨からＤＮＡを鑑定して、それが横田さんであるのかないのかというような技術力はなかったのですよ〉

北朝鮮は二〇〇四年、「死亡の証拠」として横田めぐみさんの遺骨と称する火葬された骨を日本側に提出した。高温で焼かれていたが、帝京大学の鑑定でめぐみさんではない二人のＤＮＡが検出され、政府は北朝鮮に強く抗議した。

生方氏の主張は、北朝鮮の「鑑定結果はねつ造」という主張と一致している。国会議員として、あまりにも無責任だと言うほかない。

その上、生方氏は横田めぐみさん以外の拉致被害者についても「生きていない」という暴言を吐いた。

〈日本国内から連れ去られていって、あちらで教育を受けて日本語を教えるなどをしたという拉致被害者は、今は生存者はいないのだと思うのですね〉

〈日本から連れ去られた拉致被害者というのは、もう生きている人はいない〉

そして、その自分の北朝鮮の代弁人的な主張について、自民党を含む全国会議員が同じ考えだと言い放った。

〈拉致生存者がいると思っている人はたぶん自民党でも一人もいないと思う〉

〈横田さんが生きているというとは誰も思っていないのです、自民党の議員も〉

家族会・救う会は抗議文で、この数々の暴言を次のように批判した。

〈日本政府は「被害者の『死亡』を裏付けるものが一切存在しないため、被害者が生存しているという前提に立つ」（政府拉致対策本部「すべての拉致被害者の帰国を目指して—北朝鮮側主張の問題点—」）という基本的立場に立っている。この立場は、生方議員が副大臣などで参画した民主党政権時代にも維持されていた。

生方議員は人の命に関わる重大な人権問題について、日本政府の基本的立場を否定して、北朝鮮の主張に賛同している。その上、自民党議員を含む関係者が皆、生存者がいないと思っていると断定して、関係者の名誉を著しく傷つけている〉

理解していただきたいのは「拉致被害者が生存しているという前提に立つ」は、私たち家族会・救う会の主張ではなく、二〇〇六年以降の十七年間、維持されてきた我が国政府の一貫した立場だということだ。

北朝鮮は二〇〇二年、それまでの拉致はでっち上げだという古い嘘を捨て、拉致したのは十三人だけで、そのうち八人は死亡し、五人を帰したから拉致問題は解決済みという新しい嘘をついた。彼らは繰り返し「日本は死んだ拉致被害者を生き返らせろと無理な要求をしている」と主張してきた。生方氏は、まさにこの北朝鮮の主張の代弁者になっていた。

しかし、北朝鮮は横田めぐみさんをはじめとする八人の拉致被害者について、一人についても客観的な死亡の証拠を出せなかった。彼らが出してきた二人分の遺骨からは他人のDNAが検出され、八枚の死亡診断書は記述に矛盾があって、彼ら自身が偽物だと認めざるを得ず、二枚の交通事故書類も被害者の名前がホワイトで塗ってあって判読できないデタラメなものだった。拉致をして厳しく管理していた被害者八人について、誰についても死亡の客観的証拠がなかった。だから、政府は十七年前に生存を前提にして助けるという当たり前の方針を決めたのだ。家族が諦めきれないから死亡を認めない、というような話ではない。

二〇〇六年に政府拉致問題対策本部がつくったパンフレットには、北朝鮮が出してきた「死亡の証拠」なるものが、いかにデタラメなものだったのかを写真入りでわかりやすく説明している。ぜひ、一読してほしい。

そして、この間、多数の生存情報が北朝鮮内部から漏れ伝わってきていることも事実だ。民間人である私も、確実な情報をいくつか入手している。政府にはかなりの情報が蓄積されていることは間違いない。ただし、それは来るべき日朝首脳会談で使うため極秘とされている。

生方氏は自民党を含む政治家全員が自分と同じ考えだと言い放ったが、所属政党の立憲民主党は「党としての考え方と全く相容れないもの」として謝罪する声明を出し、生方氏に対する衆議院議員候補公認を出さなかった。また、同じ考えだと生方氏に勝手に言われた自民党も「わが党にはそのような考えを持つ議員はいない」と反論する声明を出した。結局、生方氏は二〇二一年十月の総選挙に無所属で出馬し、落選した。当然の結果だったと言わざるを得ない。

これを機会に、北朝鮮に対してオールジャパンで、「被害者の『死亡』を裏付けるものが一切存在しないため、被害者が生存しているという前提に立つ」とする政府方針を、皆で揺るぎなく支持していることを伝えなければならない。

## 対日工作の失敗

北朝鮮による拉致被害者救出の現状を一言で言うと、「こちらも追い込まれているが、北朝鮮も追い込むことに成功した。最後の勝負の時がきた」である。

まず、こちらの苦しい現状を書こう。

二〇二〇年六月五日、横田めぐみさんの父である横田滋・初代家族会代表が逝去された。滋さんは、横田めぐみさん拉致が発覚した一九九七年に実名を出して記者会見をするという勇気ある決断を行った。そのころは、「静かにしていないと北朝鮮にいる被害者に危害が加えられる危険がある」という見方が政府関係者や民間専門家らの多数意見だったが、滋さんは匿名で訴えても政府は動かない、一定の危険はあるが世論に訴えようと実名会見を決めたのだった。

それを見て、すでに国会答弁などで拉致だと分かっていた他の被害者の家族も勇気を出して横田さん家族に合流し家族会ができた。その滋さんがめぐみさんと会えないまま天国に旅立たれた。

そして翌二〇二一年十二月十八日、田口八重子さんの兄である飯塚繁雄・二代目家族会代表が逝去された。その年の十月に行われた国民大集会で飯塚さんは、「諦めない」という言葉を短い挨拶の中で三回繰り返し、体調がすぐれずそのまま退席された。九月に就任したばかりの岸田文雄首相がその命懸けのあいさつを聞いていた。初代の横田滋さんは十年八カ月にわたって代表を務めたが、飯塚さんはそれよりも長い十四年間、代表という激務を誠実に担《にな》ってくださった。

横田滋さんにつづき、飯塚繁雄さんも被害者を取り戻せないまま亡くなり、親の世代でご存命な家族会メンバーは有本恵子さんの父の有本明弘さんと横田めぐみさんの母、横田早紀江さんの二人だけになってしまった。明弘さんは本書執筆の二〇二三年七月の時点で九十五歳、歩行に支障があり、移動は車椅子を使っている。早紀江さんは八十七歳、二〇二三年三月には、心臓の発作があり、二回手術をされた。

拉致被害者救出運動は、親たちが娘、息子を取り戻そうと始めた国民運動だ。それなのに、その親の世代が二人になってしまった。

しかし、北朝鮮の金正恩政権もかなり追い込まれている。それには二重の意味がある。第一に、北朝鮮に対する制裁は多大の効果を上げ、金正恩政権の体制危機が深刻化していることだ。この点については3章で詳しく論じた。第二に彼らがこの間仕掛けてきた対日工作が失敗していることだ。

ここでは、対日工作の失敗についてみてみよう。二〇二一年十二月十日、家族会・救う会・拉致議連は拉致問題セミナーを開いた。例年は「国際セミナー」として海外のゲストを招いていたが、今回はコロナもあって、それができなかった。そこで今回は、「各地の救出運動の現状と北朝鮮最新情勢から全拉致被害者の即時一括救出の方途を考える」をテーマにした。安倍元首相が特別講演をし、北朝鮮はずっとわが国に工作を仕掛けている、被害者はもう死んでいるという話を広め、救出を諦めさせようとする、家族会・救う会と政府の分断を図ろうとする、それらを十分に警戒しなければならない、と次のように語った。

〈向こうはいろいろな変化球を投げてきます。それに惑わされてはなりません。世論工作はまさに分断です。例えば家族会・救う会と政府との分断をはかるとか、あるいは国民世論の分断をはかるなど、いろいろな手を使ってきます。これからも使うかもしれません。ですから少なくとも政府と家族会・救う会の皆さんとは、密接に連携しながら被害者救出をめざすことが大切です。

政府が何をやっているかをすべてお話しすることはできないのですが、なるべく報告していくことが大切だと思います。私が総理の時は、少人数の力に絞る形で何をやっているかについてお話しさせていただきました。そういう分断工作にはまらないように丁寧な努力を続けていくことが大切だと思います。

もう一つは、分断工作で彼らがこれまで何回も使ってきた手があります。「八名はすでに死んでいる」ということで、盛んにそれを流しながら、この問題で追及しても無理なんだよと。それを忘れて日朝の国交回復をやらなければいけない、と。これに惑わされてはならないと思います〉

安倍元首相の警告は的中した。前述の通り、野党第一党の衆議院議員が、横田めぐみさんたちは生きていない、生きているなら返しているはずだ、めぐみさんのものとして提供された遺骨から他人のＤＮＡが出たという鑑定は、そのような技術がないから信じられない、などと堂々と支持者の前で語り、それをネットで公開する事件があったのは記憶に新しい。

また、二〇一八年六月の最初の米朝首脳会談直後には、国会議員会館に与野党国会議員が約六十人集まって日朝国交正常化推進議員連盟総会が開かれ、田中均《ひとし》元外務省アジア太平洋州局長が、拉致問題は解決に時間がかかるから日朝合同調査委員会をつくって調査を続け、東京と平壌に連絡事務所を設置せよ、と講演で提案した。そこに出席していた石破茂議員は、田中均提案を自身の公約とし、同年九月の自民党総裁選で安倍氏と激しい論争を行った。

合同調査委員会提案は、何人か秘密を知らない被害者だけを出してきて、その後に時間稼ぎをする北朝鮮の工作だと考えた私たちもそれを批判し、「日朝首脳会談による全拉致被害者の即時一括帰国実現」を求め続けている。

『産経新聞』は二〇二一年十月末の総選挙にあたり、主要政党に対して拉致問題に関するアンケートを実施した。その中に、まさにこのことと関係する次の質問があった。

〈家族会と救う会は「全拉致被害者の即時一括帰国」を基本方針に掲げています。数人の被害者の返還など、いわゆる「部分帰国」を北朝鮮側が示した場合、容認しますか。あるいは「即時一括帰国」にこだわりますか〉

これに対して、自民、公明、立民、維新、国民、共産の主要六党は〈「即時一括帰国」にこだわる〉と回答した。共産党を含む主要政党が、すべて北朝鮮の工作を拒否したのだ。

私たちは、日本人の拉致に対する怒りは低下していない、全拉致被害者の即時一括帰国を求める声は全国に拡散している、とのメッセージを発信し、北朝鮮の工作を跳ね返したいと考え、二〇二一年十一月十三日の国民大集会で「十二月の北朝鮮人権週間（十日から十六日）に、閣僚、国会議員、地方自治体首長、地方議員の全員、また多くの国民がブルーリボンをつけて救出への意思を示そう」と決議した。

実はこの決議に先駆け、二〇二一年九月、福岡県・行橋《ゆくはし》市議会で小坪慎也議員が市当局から次のような勇気づけられる答弁を引き出した。すでに二〇二〇年から、同市では課長級以上の市職員が北朝鮮人権週間中にブルーリボンバッジを着用し、執務していたが、二〇二一年の方針を聞かれ、同市の米谷友宏総務部長は、こう答弁した。

〈「拉致問題その他北朝鮮による人権侵害問題への対処に関する法律」第三条で、「地方公共団体は、国と連携を図りつつ、拉致問題その他北朝鮮当局による人権侵害問題に関する国民世論の啓発を図るよう努めるものとする」と定められております。したがいまして法的に問題がないと認識しており、「北朝鮮人権侵害問題啓発週間」中は、部長級、課長級の職員がブルーリボンバッチを着用するようにしております〉

また、行橋市教育委員会の長尾明美教育長は、二〇二〇年度に横田めぐみさん拉致事件を題材にした政府作成のアニメ『めぐみ』を市立小学校六年生と市立中学校三年生の全クラスで視聴し、北朝鮮人権週間に全市立小中学校内に拉致問題啓発ポスターを掲示していると答弁した。

それを受けて、米谷総務部長は市の方針として「(市教委所管のポスターやアニメ視聴とあわせ)本市では拉致啓発に関し『3つの100(%)』体制で取り組んでまいりたい」と力強い答弁をした。

「3つの100(%)」とは、一つ目は、市立の小学校・中学校で一〇〇%、アニメ『めぐみ』を上映したこと。二つ目は、市立の小学校・中学校で一〇〇%、政府の拉致問題のポスターを貼ったこと。三つ目は、十二月の北朝鮮人権週間中、市の課長級以上の職員が一〇〇%、ブルーリボンバッジを着用したこと。

二〇二一年十一月十三日の国民大集会は家族会・救う会・拉致議連とともに、知事の会(北朝鮮による拉致被害者を救出する知事の会・黒岩祐治会長)、地方議連(拉致問題地方議会全国協議会・松田良昭会長)も主催団体に入っている。そこで当日、その二団体に対して北朝鮮人権週間におけるブルーリボン着用について文書で要請した。また地方六団体、すなわち全国市長会、全国知事会（都道府県知事）、全国町村会（町長・村長）の執行機関の三団体と、全国都道府県議会議長会（都道府県議会の議長）、全国市議会議長会（市議会の議長）、全国町村議会議長会（町・村議会の議長）の議会三団体に対しても同様の要請文を提出した。

それらを受けて、全国の地方公共団体首長、幹部職員、地方議員のブルーリボン着用が急速に広がった。

同年十二月二日には、大阪府議会で吉村洋文府知事をはじめとする部長級以上の幹部職員二十人がブルーリボンバッチをつけて議場に入った。十七日の閉会まで、議場でつけるという。西村日加留《ひかる》府議（自民）の質問には、江島芳孝・府民文化部長が「ブルーリボンは拉致被害者の救出を求める国民運動のシンボル。府幹部が率先して着用することで職員全体や府民への世論喚起につながると考えている」と答えた。部長級以上のバッジ着用は十月の府議会一般質問で、西田薫府議（大阪維新の会）が提案したものだ。注目されたのは、大阪府警本部長もバッジをつけたことだ。

同月七日には東京都議会で小池百合子都知事が、都知事のほか幹部職員が北朝鮮人権週間の間、ブルーリボンを着用する方針を明らかにした。小松大祐都議（自民）の代表質問に答えて、小池都知事は「啓発週間において、集中的な広報活動や幹部職員によるブルーリボンバッジの着用を行う」などと答弁した。着用対象は知事のほか、部長級以上の幹部職員約四百人で、議会出席時やイベントなどの業務中に着用した。また、警視総監もつけた。同月十日、人権週間初日には政府の全閣僚がブルーリボンバッジをつけて閣議に臨んだ。閣僚の中には、これまでブルーリボン運動に参加していなかった方もいたが、今回は全閣僚がつけて写真撮影をした。

行橋市で先述の「3つの100」実現に尽力した小坪市議は、私に「拉致被害者奪還は国政の役割だが、自分たち地方議員は世論を絶対に風化させないという役割がある。そのために全力を尽くしている」と決意を語った。

このように、時間を稼いで諦めさせようとする北朝鮮の工作は失敗している。その意味でこの戦いには、私たちは決して負けてはいない。

## 小泉訪朝から二十年

二〇二二年九月、小泉訪朝から二十年を迎えた。二十年というのは向こうにいる被害者にとっては、節目でもなんでもない。暴力的に連れて行かれて、五十年近く、手紙一本も出すことができず、いまだに帰れない。

私たちは「救う会」を名乗りながらも、救うことができていないことを、本当に申し訳ないと思っている。ただ、一つだけ言えることは、救うための活動を止めたら絶対に救えないということだ。止めることを向こうが望んでいる。

私たちにはできなかったこともあるが、できたこともある。「できたこと」を確認したうえで、今後何をすべきかについて考えたい。

二〇〇二年九月の小泉訪朝で、私たちは一回勝った。当時、北朝鮮、そして日本の多くの人たちは、「拉致はない」と言っていた。マスコミも『産経新聞』以外は、「拉致疑惑」と書いていた。

一九九七年に家族会、救う会ができて五年活動し、世論をつくった。その世論を見て金正日《キムジョンイル》は、小泉総理から何か得たいものがあったので、得るためには拉致を認めざるを得ないと思った。「拉致はでっちあげだ」という嘘との戦いに私たちは勝った。

しかし小泉訪朝の時、北朝鮮は「拉致したのは十三人だけ、五人返し、八人は死亡した。だから拉致は解決した」という新たな嘘をついた。今もその嘘をつき続けている。

二〇〇二年九月から「拉致は解決した」という新たな嘘との戦いが始まった。残念ながら、当時の政府の中にも、死亡の確認をしていないのに家族に「死亡した」と伝えたり、帰国した五人の被害者を「約束がある」として北朝鮮に返そうとしたりする人たちがいた。

しかし、われわれ家族会・救う会の頑張りや、心ある当時は少数だった政治家や役人のみなさんの努力で、少なくとも五人の被害者と、その家族を取り戻した。そして、わが国政府は明確に「日本は『拉致は解決済み』などとは認めていない」とはっきり北朝鮮に反論している。安倍外交の成果だが、国連でも「拉致は解決していない」との報告書が出た。

トランプ大統領も金正恩《キムジョンウン》に三回、「拉致は解決していない。あなたは安倍晋三に会いなさい」と迫った。それだけでなく、習近平総書記や文在寅《ムンジェイン》大統領（当時）も、金正恩に「拉致を解決しなさい」「拉致を解決したらどうですか」と言った。

「拉致は解決している」という嘘は世界で北朝鮮だけで通用している。それは自動的にそうなったのではない。私たちが世界を駆け巡り、国際的な拉致も明らかにし、安倍元首相が首脳会談のたびに拉致を取り上げるなど官民が必死で活動した結果、「解決していない」ことを広めることができた。これも戦いだった。この戦いが今も続いている。

実は二〇一七年から一九年にかけて、小泉訪朝以来最大のチャンスが来ていた。二〇一六年、一七年に北朝鮮は四十発の弾道ミサイルを撃ち、三回核実験をした。そのときトランプ政権は、あらゆる手段を使って核・ミサイル開発を止めることを目標にした。米本土まで届く核・ミサイルが完成直前まで来ていたからだ。

安倍政権は、そのトランプ政権の方針を「全面的に支持する」と繰り返し表明した。日米で強い圧力をかけた。圧力対圧力のにらみ合いになった結果、金正恩政権が折れた。それが二〇一八年から一九年の米朝首脳会談の背景だ。

強い圧力をかけて、話し合いの場に引き出すという私たちと安倍政権の救出戦略が成功しかかった。そのときトランプ政権は拉致問題を棚上げにしなかった。

核・ミサイル問題は米国にとって絶対に譲れない。東アジアの小さな国の独裁者に、いつでもニューヨークやワシントンを核攻撃できる力を持たせることは、米国にとっては許せないことだ。だから、「あらゆる手段を使う」と言い、それは軍事的攻撃を含むすべての手段を使って、核・ミサイルを止めさせるという意味だった。

トランプ大統領はシンガポール（二〇一八年六月）とベトナムのハノイ（二〇一九年二月）で金正恩と会談した。その米朝首脳会談で、合計三回、トランプ大統領は拉致の解決を迫った。

ハノイの会談では、最初の一対一の首脳会談で、トランプ大統領が拉致解決を迫ったら、金正恩は別の話題を出して逃げた。そこで、少人数の夕食会でもう一度出した。そのとき金正恩は「意味のある回答をした」と、米政府高官が二〇一九年五月に訪米した際に私たちに教えた。同じ頃、安倍首相は私たちに「トランプ大統領が一般論として『拉致を解決せよ』と言ったのではない。安倍晋三のメッセージを伝えてくれたのだ」と説明した。

トランプ大統領は、「核・ミサイルを止めなさい。止めたら明るい未来が待っている」と伝えたが、「米国は支援をしない」とも明確に言っている。

では、どこが支援をするのか。私の想像では、トランプ大統領は「シンゾーは国交正常化をしたら韓国にやったような支援ができると言っている。しかしシンゾーがこだわっているのは拉致だ。あの男は拉致しか言わない」と金正恩を説得したのだ。米朝首脳会談が物別れにならなければ、安倍訪朝が実現していたと私は考える。なぜなら、金正恩は核・ミサイルで譲歩する条件として多額の資金を必ず要求するからだ。

しかし、核の交渉が物別れで終わってしまったため、安倍訪朝がなかった。その直後から安倍首相は、「条件をつけずに首脳会談をする」と言い始めた。拉致が解決したら日本はこれとこれができる、というメッセージが金正恩に直接伝わった。だから「条件を付けずに会う」と言い始めた。それは菅義偉《すがよしひで》政権でも、岸田政権でも続いている。

## もう一度チャンスが来る

二〇一六年、一七年のとき、私たちは必死で拉致の旗を揚げ続けた。その結果、トランプ大統領が核と拉致の解決を一緒に金正恩に迫るということが実現した。これが安倍首相のつくってくれた枠組み、遺産だ。この枠組みは岸田政権とバイデン政権との間でも維持されている。だから二〇二二年五月、バイデン大統領が日本に来たとき、とても忙しいのに拉致被害者家族に会ってくれた。

バイデン政権はトランプ政権がやったことはやらないというのが基本方針だが、拉致問題だけは引き継がれた。軍事的圧力は米国、解決後の経済支援は日本というこの枠組みは国益にかなっていると米国は判断した。それが共和党から民主党になっても変わっていない。

変わらせてはならないのだ。この枠組みを維持しながら、北朝鮮の核武装を阻止する。その嵐の中に、私たちは入っていかなければならない。そこで「全被害者の即時一括帰国」の旗を掲げ続ける。

小泉訪朝のときも、実はブッシュ政権の「悪の枢軸」演説があり、軍事圧力がかかった。そのとき北朝鮮は、話し合いの相手として、米国ではなく日本を選んだ。だから小泉訪朝になった。一方、二〇一六年、一七年の軍事緊張の後の話し合いでは、金正恩はトランプを選んだので、米朝首脳会談になった。

だから、その両方に備えておくべきだと私たちは考えていた。小泉訪朝のときのように金正恩が日本を先に交渉相手に選んだ場合、拉致を核・ミサイルから、いったん切り離したいと、私たちは考えた。国連制裁違反はできないが、人道支援は制裁の対象ではないから、拉致被害者を全員返すなら、核・ミサイル問題が動いていなくても人道支援をする用意がある、と北朝鮮に伝えるのだ。それには米国にも事前に内諾を得ておくことが必要だ。

一方、もう一度、金正恩がバイデン大統領と米朝首脳会談を先にやるなら、トランプ大統領が行ったように、拉致と核・ミサイルをともに議題に載せるという枠組みを維持するよう、米国と緊密に連携していくしかない。

ところが、北朝鮮は岸田首相との日朝首脳会談を先に行うことを選んだようだ。ここからまさに最後の勝負が始まる。

北朝鮮はバイデン政権からの交渉の呼びかけに全く答えていない。核放棄を前提とする米国との交渉はやるつもりがないようだ。一方、食糧危機が深刻化する中、日本が国連制裁違反ではない人道支援はできると呼びかけていることについて関心を持ってきた。

深刻な食糧危機は拉致問題解決のチャンスなのだ。北朝鮮はこれまで日本との交渉の目標を国交正常化後に得られる一兆円とも言われる大規模な経済協力に置いてきた。これまで日本が行ってきた米や医薬品などの人道支援はもらえるものならもらうが、それが欲しくて拉致被害者を返すことはない、という姿勢だった。ところが、最近の状況は食糧の緊急支援なしには体制が揺るぎかねないほどの危機が到来している。彼らは、核放棄をしないまま、拉致で日本と取引して大量の米や肥料、医薬品などをまずもらい、その後、最終的には多額の経済支援を得ようとする二段階戦術を考え始めたのだ。

そのことを視野に入れて、拉致被害者「家族会」と「救う会」は二〇二三年二月二十六日に合同会議を開き、「親の世代の家族が存命のうちに全拉致被害者の一括帰国が実現するなら、我が国が人道支援を行うことに反対しない」という新運動方針を決め、金正恩へのメッセージを発表した。

私たちは、すでに二〇一九年と二〇二一年に二回、金正恩へのメッセージを出してきた。一回目では「全拉致被害者の一括帰国が実現するなら、日朝国交正常化に反対しない」とした。二回目では「親の世代の家族が存命のうちに」という期限を加えた。そして、三回目に人道支援に焦点を絞って新しいメッセージを出した。

〈家族会・救う会から北朝鮮指導者への三回目のメッセージ

「全拉致被害者の即時一括帰国を決断して頂きたい」

私たちは一九九七年以来、拉致された日本人被害者を救出するための国民運動を進めてきた家族会と救う会です。家族会は拉致被害者の両親や兄弟、子弟などの組織です。救う会はそれを支える国民有志の組織です。

私たちは、これまで二度にわたって次のようなメッセージをお伝えしました。

親の世代の家族が存命のうちに全拉致被害者の即時一括帰国が実現するのであれば、私たちは帰還した被害者やその家族に秘密の公開を求めるつもりはなく、国交正常化に反対する意思もありません。

この私たちの切実な思いは変わっていないことをお伝えします。そして、今回「親の世代の家族が存命のうちに全拉致被害者の一括帰国が実現するなら、我が国が北朝鮮に人道支援を行うことに反対しない」という新しいメッセージを一つ付け加えます。

人道支援は国連制裁違反ではありません。従って、核・ミサイル問題解決前にも実行できます。その条件は喫緊の人道問題である、「全拉致被害者の即時一括帰国実現」です。親の世代の家族が存命のうちに全拉致被害者の即時一括帰国が実現するなら私たちは北朝鮮への人道支援に反対しません。様々な人道問題を一括して解決しようではないかと提案いたします。

岸田文雄総理大臣は「拉致被害者御家族も御高齢となる中で、拉致問題は時間的制約のある人権問題です」と明言し、委員長と直接向き合って拉致問題を解決すると繰り返し表明しています。一日も早く日朝首脳会談に応じ、全拉致被害者を即時一括で帰国させて下さい。

私たちは、ここで再度、金正恩委員長に「全拉致被害者の即時一括帰国を決断していただきたい」と強く訴えます。

金正恩国務委員長
二〇二三年二月　東京
北朝鮮による拉致被害者家族連絡会　代表　横田拓也
北朝鮮に拉致された日本人を救出するための全国協議会　会長　西岡　力〉

金正恩政権がこの私たちのメッセージに対して、どのような決断をするのかを息を呑むように見つめている。

北朝鮮に私たちのメッセージをしっかりと受け取らせるためには、米国が人道支援を使った拉致被害者救出という私たちの提案に賛成することが必要だった。

## 拉致問題を核・ミサイル問題とは別次元で扱う

二〇二三年五月一日から七日まで、北朝鮮拉致被害者の「家族会」、支援組織「救う会」、超党派の「拉致議連」の訪米が四年ぶりに行われ、私も「救う会」会長として参加した。今回の訪米の主たる目的は「親の世代の家族が存命のうちに全拉致被害者の一括帰国が実現するなら、我が国が人道支援を行うことに反対しない」とする家族会と救う会の新運動方針への理解と支援を求めることだった。その目的は達成されたと考えている。

それにはただ、米国の支援を求めるだけでなく、北朝鮮へのメッセージという戦略的な意味があった。北朝鮮では二〇〇二年の小泉訪朝について、次のように総括している。

〈金正日が拉致を認めて謝罪し五人の被害者と家族まで帰国させ、首相に早期に国交正常化をして莫大な金額の経済支援をすると書面で約束させたのに、カネを取ることに失敗した理由は、米国が核問題を理由に反対したからだ。
日本は自主的な外交ができない国だ。日本から支援を得るためには、まず米国と交渉し、その承認を得る必要がある〉

この分析は、半分は正しい。核開発を続ける北朝鮮への大規模支援に踏み込もうとした当時の外務省アジア局長、田中均氏が主導した前のめり外交には米国は強い危機感を持っていた。それは事実だ。

一方、彼らは世論というものを理解できないので、家族会の訴えが国民を動かし、拉致問題が未解決である間の国交正常化と大規模支援には世論が強く反対したので小泉政権が動けなくなったという残り半分については分かっていない。

したがって、人道支援をてこに全拉致被害者の即時一括帰国を実現させようとする新運動方針を金正恩に信じさせるためには、米国は核ミサイル問題が膠着《こうちゃく》している現段階での「日本の人道支援に反対しない」とするメッセージを平壌に送ることが重要なのだ。

参加したのは家族会から、横田めぐみさんの双子の弟の横田拓也代表と田口八重子さんの息子の飯塚耕一郎事務局長、救う会から私と島田洋一副会長、拉致議連から山谷えり子参議院議員（訪米団長）、塚田一郎衆議院議員、北村経夫参議院議員、そして政府拉致問題対策本部から平井康夫内閣審議官、大野祥内閣参事官（政策企画室長）らだった。

面会者は、米政府ではバイデン政権で北朝鮮政策を総括しているNSC（米国家安全保障会議）のカート・キャンベル調整官と国務省のナンバーツーでクリントン政権時代から北朝鮮外交にかかわってきたベテラン外交官のウェンディ・シャーマン国務副長官、北朝鮮外交を担当するダニエル・クリテンブリンク国務次官補とジュン・パク国務次官補代理兼北朝鮮特別代表代理、人権問題を担当するスコット・バスビー国務次官補代理、財務省で北朝鮮経済制裁を担当するブライアン・ネルソン財務次官だった。

議会ではダン・サリバン上院議員（共和党）、テッド・クルーズ上院議員（共和党）、ビル・ハガティ上院議員（共和党、元駐日大使）、ラリー・ブション下院議員（共和党）の四人が忙しい日程の中、時間を割いてくれた。

民間専門家ではトランプ大統領の側近だったフレッド・フライツ米国第一政策研究

所副所長、二〇〇四年以来、折に触れて家族会・救う会と協力してきたスザンヌ・ショルティ北朝鮮自由連合会長、訪米のたびに面会に応じてくれたビクター・チャCSIS（戦略国際問題研究所）副所長、北朝鮮人権運動家としてワシントンで精力的に活動しているグレッグ・スカラトー米国北朝鮮人権委員会事務総長、著名な北朝鮮専門家で何回も私たちと議論しているニック・エバースタットAEI（アメリカン・エンタープライズ政策研究所）上級研究員らだった。

私たちは二〇〇一年二月以来、ほぼ毎年、少なくとも一回以上訪米してきた。ところが新型コロナウイルスまん延により二〇一九年五月以来、四年間、訪米できなかったから、今回はこの間にどのようなことがあったのか、私たちはどのような方針で北朝鮮に対しているのかを説明する訪米声明を英文にして持参した。まず、それを紹介しよう。

〈新型コロナウイルスまん延のため、前回訪米した二〇一九年五月以来四年間、皆さまにお目にかかることができませんでした。この間の北朝鮮による日本人拉致問題をめぐる状況をお伝えします。

北朝鮮では昨年（二〇二二年）、制裁と新型コロナウイルスと自然災害による未曾有《みぞう》の危機がより深刻化しています。このまま外部から支援がなければ党、政府、軍、治安機関の幹部とその家族らも飢えに直面するかもしれないと伝えられています。そのため、北朝鮮権力中枢で、対日交渉を通じて大規模な人道支援（食糧・医療）を獲得するため、拉致問題での新たな対応を真剣に検討しているという情報があります。

一方、岸田文雄首相は二〇二二年十月二十三日の国民大集会挨拶で「日朝平壌宣言に基づき、拉致、核、ミサイルといった諸懸案を包括的に解決し、不幸な過去を清算して、日朝国交正常化の実現を目指しますが、とりわけ、拉致被害者御家族も御高齢となる中で、拉致問題は時間的制約のある人権問題です。全ての拉致被害者の方の一日も早い御帰国を実現すべく、全力で果断に取り組んでまいります」と話されました。岸田首相のこの発言は、拉致問題を核・ミサイル問題とは別次元で扱うというメッセージです。

以上のような状況を受け、家族会・救う会は二〇二三年二月、「親の世代の家族が存命のうちに全拉致被害者の一括帰国が実現するなら、我が国が人道支援を行うことに反対しない」という新しい運動方針を決めました。人道支援は国連制裁違反ではありません。ですから、貴国をはじめとする国際社会への理解を求めることを前提にして、核・ミサイル問題解決前にも北朝鮮への人道支援は実行できます。もちろん、人道支援の条件は、我が国にとっての喫緊の人道問題である「全拉致被害者の即時一括帰国」実現です。

ただし、それには期限があります。拉致被害者の親の世代の家族が拉致被害者本人と抱き合うことなしに拉致問題の解決はないのです。ところが、私たちが訪米できなかった四年間に、有本恵子さんの母有本嘉代子さん、横田めぐみさんの父で初代家族会代表の横田滋さん、田口八重子さんの長兄で二代目家族会代表の飯塚繁雄さんが次々逝去しました。家族会メンバーの中の親の世代は有本恵子さんの父と横田めぐみさんの母の二人になってしまいました。

私たちは、「親の世代の家族が存命のうちに全拉致被害者の一括帰国が実現するなら、我が国が人道支援を行うことに反対しない」という新しい運動方針を決め、北朝鮮の金正恩委員長に、様々な人道問題を一括して解決しようではないかと提案しました。この運動方針をぜひ、皆さまにご理解いただき、またご支援いただきたいと願っています〉

## 早紀江さん「魂の訴え」

訪米団はこの四年間に次々と家族会メンバーが逝去し、親の世代で存命中なのは横田めぐみさんの母の早紀江さん（八十七歳）と有本恵子さんの父の明弘さん（九十四歳）の二人だけになってしまったと強調し、早紀江さんの訴えと写真を提供した。早紀江さんの魂を込めた訴えを紹介する。

〈今から四十六年前の一九七七年、私たちの大切な娘めぐみは、その日「行ってきます」と元気な声を残して、仲良しの友人と共に中学校に向かいました。この日、中学校で部活動のバドミントンの練習を終え、帰宅途中に我が家の直ぐ近くの曲がり角で、めぐみは忽然《こつぜん》と姿を消しました。行方不明事件として警察が出動し、大捜索の日々となりました。

それから二十年もの間、どれだけニュースになっても多くの努力の捜索によっても娘めぐみの姿も安否情報もありませんでした。信じられない事件です。

二十年が過ぎ、娘めぐみが北朝鮮の工作員たちによって拉致をされ北朝鮮にいることが脱北者など様々なところからニュースになり、他にもアベック（＝カップル）の日本人三組が同じ時期に海岸から袋に入れられ、小船で本船まで運ばれ、北朝鮮による拉致被害者として北朝鮮に捕らわれたことも報道されました。

二〇〇二年、小泉（純一郎）首相と金正日委員長との日朝首脳会談の席で、北朝鮮は初めて「拉致は我が国がやった」ことを認め、日本に対して謝罪しました。しかしながら、金正日委員長は「拉致の実行は配下の者が勝手にやったことだ」と説明し、挙句の果てに日本政府が認定している拉致被害者のうち五名生存、残りの被害者は死亡、または未入境と発言しました。死亡状況などすべてはつくり上げられた嘘の発表であることを日本政府は北朝鮮へ突き付けましたが、北朝鮮は言い逃ればかりです。

生存とされた拉致被害者たち、並びにその子供たちは拉致されてから二十四年ぶりにやっと祖国日本の土を踏むことができましたが、共に悲しみ苦労を共にしてきた娘めぐみや、他の拉致被害者たちは北朝鮮の嘘で塗り固められた状況で北朝鮮に残され、今なお絶望に耐え続けて暮らしています。

十三歳の中学生だった娘めぐみが五十八歳になった今も、生存情報はあちこちから耳に入っていますが、北朝鮮は改めようとしないままです。よほどの秘密の場で仕事をさせられている拉致被害者は「死亡」と言われたまま、厳しい監視のもと労働を強いられているのだと思います。

今、ウクライナの美しい街々、人々はロシアによる人間とは思えない残酷な仕打ちをされつつ、世界に対して助けを求めています。人間として生かされている者がこのような恐ろしい残忍さをむき出す恐ろしさに戦慄《せんりつ》を覚えます。北朝鮮も同様です。救出したい!!　との必死の思いを持つ何人もの父親・母親は、この長い戦いの中で拉致された家族や兄弟と再会できないまま天に召されました。

世界中の善良な人々がしっかりと手を組んで立ち上がらなければならない大切な時期が目前に迫っております。

争うことで何を得て、何に満足するのかを問い、人として人種を越えて宇宙に浮かぶ美しい地球の輝きを大切に保てることを切に望み、深い祈りをもって、良き解決を早めていただきたいものと切望致しております。

皆様に神の豊かな祝福と恵みが注がれますよう深くお祈り致しております〉

家族会の二人が訴えた後、私が運動方針に関する背景説明を行った。

二〇一九年二月、トランプ大統領が金正恩に、直接、拉致問題解決のための安倍首相のメッセージを伝え、金正恩は肯定的回答をしていた（二〇一九年五月の訪米でトランプ政権幹部から聞いた）。しかし、米朝首脳間の核廃棄協議が決裂したので、事態は動かなかった。

その後、バイデン政権になり、米朝間の対話は完全に閉ざされており、金正恩政権は核ミサイルの実戦配備と核攻撃演習を繰り返している。したがって、米朝核協議において拉致も議題にして一緒に解決するという安倍・トランプの戦略は機能しない。一方、厳しい制裁とコロナまん延による国境閉鎖などにより、北朝鮮は深刻な食糧難を迎え、二〇二二年秋以降、中国に大量の食糧支援を要請したが断られている。

以上のような状況を踏まえ、私たちは訪米声明に書いた通り「親の世代の家族が存命のうちに全拉致被害者の一括帰国が実現するなら、我が国が人道支援を行うことに反対しない」とする新運動方針を決めた。政府認定だけでなく未認定を含む全拉致被害者の一括帰国という「時間的制約のある人道問題」と、北朝鮮の食糧難という人道問題を共に解決しようと金正恩政権に呼びかけている。

この訴えを真剣に聞いた米政府のNSCのキャンベル調整官、国務省のシャーマン副長官ら、財務省の次官は口々に運動方針への理解を表明した。国務省では副長官ら面会者全員がブルーリボンバッジをつけて私たちの前に現れ「できることはすべて行って支援する」と語った。議会でも面会した議員全員が理解と支援を表明した。民間でも面会者全員と新運動方針などをめぐって内容の濃い議論を行った。

民間専門家のスカラトー事務総長は、

「日本は自国国民の拉致という人権問題があるので、世界で一番厳しい制裁を北朝鮮にかけており、全拉致被害者が帰還した場合に、国際制裁より厳しい部分を解除することは、世界中のどの国もまたどの人権活動家も反対しないだろう」

と述べ、新運動方針への支持を表明した。訪米団は当初の目的を十分果たして帰国の途に就いた。

## 岸田首相の「異例の挨拶」

二〇二二年十月以降、人道支援をてこにして全拉致被害者の即時一括帰国を実現させるという岸田政権と私たち北朝鮮拉致「家族会」「救う会」の戦略が進みつつある。岸田首相は二〇二三年五月二十七日、私たち「家族会」「救う会」「拉致議連」などが主催した国民大集会で「首脳会談を早期に実現すべく、私直轄のハイレベルで協議を行っていきたい」と述べたところ、わずか二日後の二十九日に北朝鮮は朴尚吉《パクサンギル》外務次官の談話を出して「朝日両国が互いに会えない理由がない」と答えた。

　岸田首相は二〇二二年十月の同じ集会で「拉致問題は時間的制約のある人権問題」と語った。拉致問題を核ミサイル問題と事実上切り離して解決したいという金正恩への画期的なメッセージだった。岸田首相はそこに込めた意図について「金正恩委員長に向けた言葉でもあります。北朝鮮側は当然、私の発言をチェックしているでしょう。どのような文言が適切だろうかと推敲《すいこう》を重ねました」「拉致が核・ミサイルと並べられることに、違和感を覚える被害者家族は多い。北朝鮮の核・ミサイルは、日本国民の命を危険にさらす安全保障上の脅威です。他方、拉致は人権問題にほかならない。高齢となったご家族のことを考えれば、一刻の猶予《ゆうよ》も許されません。時間的制約のある問題なのです。核・ミサイルとは別次元で考える必要があります」と説明していた（『ＷｉＬＬ』二〇二三年一月号）。

だから、今回の挨拶で岸田首相がより踏み込んだことを言うのか、が焦点だった。集会会場で私は岸田首相の挨拶を息を呑みながら聞き、ここまで言ったのかと驚きつつ感謝した。

五月二十七日の岸田首相挨拶の主要部分をまず引用しよう。

〈北朝鮮については、日朝平壌宣言に基づき、拉致、核、ミサイルといった諸懸案を包括的に解決し、不幸な過去を清算して、日朝国交正常化の実現を目指しますが、とりわけ、拉致被害者御家族も御高齢となる中で、①時間的制約のある拉致問題は、ひとときもゆるがせにできない人権問題です。全ての拉致被害者の一日も早い御帰国を実現すべく、全力で果断に取り組んでまいります（傍線と数字、記号は西岡・以下同）〉

〈②日朝間の実りある関係を樹立することは、日朝双方の利益に合致するとともに、地域の平和と安定に大きく寄与いたします。しかしながら、③現在の状況が長引けば長引くほど、日朝が新しい関係を築こうとしても、その実現は困難なものになってしまいかねません〉

〈日朝間の懸案を解決し、両者が共に新しい時代を切り開いていくという観点からの私の決意を、あらゆる機会を逃さず金正恩委員長に伝え続けるとともに、④首脳会談を早期に実現すべく、私直轄のハイレベルで協議を行っていきたいと考えております。私は、⑤大局観に基づき、あらゆる障害を乗り越え、地域や国際社会の平和と安定、日朝双方のため、自ら⑥決断してまいります〉

まず、①を見てほしい。「拉致、核、ミサイルといった諸懸案を包括的に解決」した後に国交正常化を実現すると言いながら、そこで終わらず、前回同様に拉致問題だけを取り出して「時間的制約」があると位置づけた。つまり、核とミサイルが進まない中でも時間的制約のある拉致だけを先に進める準備があるというメッセージは変わっていない。

それどころか、前回は「拉致問題は時間的制約のある人権問題」としていたが、今回は「時間的制約のある拉致問題は、ひとときもゆるがせにできない人権問題」とより表現を強めた。横田早紀江さんが三月に狭心症で緊急入院して手術を受けたことなどを強く意識していることがわかる。

次に、②を見てみよう。「日朝間の実りある関係を樹立することは、日朝双方の利益に合致する」として、拉致被害者を返せば北朝鮮にとっても利益があると強調している。核とミサイルが解決しない中でも人道支援は可能だという含意がある。

その次の③、「現在の状況が長引けば長引くほど、日朝が新しい関係を築こうとしても、その実現は困難なものになってしまいかねません」は、これまでの首相挨拶になかった重要なメッセージだ。このまま拉致問題が動かないまま時が過ぎれば、日朝関係改善は困難になるという警告だ。親の世代の家族会メンバーが次々と他界し、今は八十七歳の横田めぐみさんの母・早紀江さんと九十四歳の有本恵子さんの父・明弘さんだけになってしまった。この二人が他界した後、めぐみさんや恵子さんが帰ってきても、日本国民は「なぜ親が生きている間に帰さなかったのか」と強く怒りを示し、関係改善にはつながらないという、私たちが繰り返し主張してきたことと軌を一にする警告だ。

④の「首脳会談を早期に実現すべく、私直轄のハイレベルで協議を行っていきたいと考えております」という部分を会場で聞いたとき、最初は何が語られたのかよく理解できず、首相直轄のハイレベルのチームをつくり、そこで協議の準備をするということかと誤解した。しかし、首相は「私直轄のハイレベルで協議を行っていきたい」

と語っていた。通常、首相はどのような姿勢で交渉に臨むのかは語るが、北朝鮮が交渉に出てきていない段階で、一方的に「協議を行う」という発言はしない。北朝鮮が協議に応じないと明言すれば首相は恥をかくからだ。

## 北朝鮮側の熱意は高い

とにかく、異例の挨拶だった。そして、もっと驚くべきことが二日後にあった。先述したように、なんと、北朝鮮が五月二十九日の朝、朝鮮中央通信を通じて朴尚吉外務次官談話を公表し、「朝日両国が互いに会えない理由がない」という岸田提案への回答メッセージを送ってきたのだ。

朴氏の談話は現在の金正恩政権が対日交渉にどのような姿勢をとっているのかが分かる一級資料だから、まず全文を紹介する。

〈二十七日、日本の岸田首相がある集会で朝日首脳間の関係を築いていくことが大変重要であると発言し、朝日首脳会談の早期実現のために高位級協議を行おうとする意思を明らかにしたという。

われわれは、岸田首相が執権後、機会あるたびに「前提条件のない日朝首脳会談」を望むという立場を表明してきたことについて知っているが、彼がこれを通じて実際に何を得ようとするのか見当がつかない。

二十一世紀に入って、二回にわたる朝日首脳の対面と会談が行われたが、なぜ両国の関係が悪化一途をたどっているのかを冷徹に振り返ってみる必要がある。

現在、日本は「前提条件のない首脳会談」について言っているが、実際においてはすでに解決済みの拉致問題と、わが国家の自衛権について何らかの問題解決をうんぬんし、朝日関係改善の前提条件として持ち出している。

日本が何をしようとするのか、何を要求しようとするのかはよく分からないが、もし他の対案と歴史を変えてみる勇断がなく、先行の政権の方式で実現不可能な欲望を解決してみようと試みるのなら、それは誤算であり、無駄な時間の浪費になるであろう。

過去にあくまでも執着していては、未来に向かって前進することができない。

もし、日本が過去に縛られず、変化した国際的流れと時代にふさわしく相手をありのまま認める大局的姿勢で新しい決断を下し、関係改善の活路を模索しようとするなら、朝日両国が互いに会えない理由がないというのが、共和国政府の立場である。日本は、言葉ではなく実践の行動で問題解決の意志を示さなければならない〉

談話は、冒頭で「二十七日、日本の岸田首相がある集会で朝日首脳間の関係を築いていくことが大変重要であると発言し、朝日首脳会談の早期実現のために高位級協議を行おうとする意思を明らかにした」として、岸田提案を一切の批判をせずに、そのまま紹介した。ここから岸田首相に対して敵対的でなく好意的であることがわかる。

そして、「現在、日本は『前提条件のない首脳会談』について言っているが、実際においてはすでに解決済みの拉致問題と、わが国家の自衛権について何らかの問題解決をうんぬんし、朝日関係改善の前提条件として持ち出している」として、日本批判を行った。その中で拉致問題について「すでに解決済み」と触れた。

この部分を理由に、北朝鮮は拉致問題で譲歩する意思はない、岸田首相と家族会・救う会の戦略は失敗したという批判が日本国内の一部で出ている。しかし、信頼する韓国の専門家は、「拉致問題は解決済み」は二〇〇二年以来、変わらない北朝鮮の公式見解であって、それを変えることができるのは金正恩だけだから、この表現を重く見る必要はないと私に語った。

談話が冒頭で紹介した岸田提案は、「全拉致被害者の即時一括帰国を求める国民大集会」での挨拶の中でなされたものだ。拉致問題が解決済みという主張を強調するなら、その集会での挨拶を取り上げること自体がおかしい。過去に私たちの活動について、北朝鮮は有象無象、ありもしない謀略を広めているなどと口汚く非難することはあったが、今回のように集会直後に、そこでの首相挨拶を非難なしで紹介することはなかった。

そして、一番注目されるのが、「もし、日本が過去に縛られず、変化した国際的流れと時代にふさわしく相手をありのまま認める大局的姿勢で新しい決断を下し、関係改善の活路を模索しようとするなら、朝日両国が互いに会えない理由がないというのが、共和国政府の立場である」だ。この部分が談話の結論である。

つまり、談話は岸田提案を拒否せず、「もし、日本が過去に縛られず、変化した国際的流れと時代にふさわしく相手をありのまま認める大局的姿勢で新しい決断を下し、関係改善の活路を模索しようとするなら」という条件をつけてはいるが、「朝日両国が互いに会えない理由はない」と結論づけたのだ。

ここで、「大局的姿勢で新しい決断を下し」という表現に注目したい。上記の通り、岸田挨拶の中に⑤「大局観に基づき」、⑥「決断して」という表現があったからだ。岸田首相の使った言葉をわざわざ繰り返しているのだ。

北朝鮮が対外メッセージを出すときには必ず金正恩の決裁が必要だ。岸田首相の挨拶は二十七日午後二時半近くに行われた。それを北朝鮮側はすぐ文字起こしをし、朝鮮語で金正恩に見せ、談話を出せとの指示を受けて談話案を作成し、再度決裁を受けたはずだ。そのプロセスがわずか一日半で行われた。北朝鮮側の日朝協議への熱意がここに表れている。水面下での秘密協議がすでに始まっている可能性がある。あるいは、これから始まるのかもしれない。

ただし、そこで、合同調査委員会案など「全拉致被害者の即時一括帰国」ではないごまかし提案が出てくる危険性がある。推移を注意深く見守るべきだ。

## 日本と北朝鮮の実務者が複数回接触？

八月末まで日朝交渉について表向き動きが見えない。そのような中、六月に日朝が二回以上接触したという韓国紙報道があった。七月三日付の『東亜日報』『日朝、先月中国とシンガポールで二回以上接触」という記事だ。その核心部分を紹介する。

〈(七月)二日、複数の情報消息筋によると北朝鮮と日本は最近二回以上、水面下接触を行ったという。消息筋は「両側の実務陣が中国とシンガポールなどで会ったと承知している」という。また「日本が米国にも事前に会ったという事実を伝えたと承知している」と付け加えた。(略)

しかし、拉致問題などについて日朝間の立場は依然として平行線を描いているものと伝えられている。別の消息筋は「北朝鮮外務省が出した最近の立場は実務接触後の両側の気流が反映されたもの」だと話した。先月(六月)二十八日、北朝鮮外務省日本研究所の李《リ》炳徳《ビョンドク》研究員は「日本人らが言っている『拉致問題』について言うなら、われわれの雅量と誠意ある努力によってすでに逆戻りできないように、最終的に、完全無欠に解決された」と主張した〉

しかし、松野博一官房長官は三日の記者会見で、日本と北朝鮮の実務者が六月に中国やシンガポールなどで複数回接触したとの韓国紙報道に関し「そのような事実はない」と否定した。

ただし、以前から北京にある日本大使館と北朝鮮大使館の間では月に一回くらい、接触はあるという。シンガポールについては知らないが、別の東南アジアの国でも、やはり日朝外交官同士の接触は維持されている。お互いにパイプだけは維持しておこうという意志があるのだ。それを別の国の関係者が、岸田首相が提案したハイレベル協議のための接触だと誤解した可能性はある。

『東亜日報』記事が引用した北朝鮮外務省日本研究所の李炳德研究員の記事は、六月二十九日に国連を舞台にして行われた日本政府主催の拉致問題国際シンポジウムに対する非難で、彼はここ数年間、毎年、国連で日本が開いた国際シンポジウムのたびに非難する記事を書いている。彼には数年前からそのような役割が与えられていて、新しい指示がないので、今回もその役割を果たしたに過ぎない。

私が入手した北朝鮮内部情報によると、外務次官談話が出た五月二十九日の翌日、北朝鮮は軍事偵察衛星を発射した。金正恩は自信満々で発射したわけだ。事前にその製作工場まで行き、見て、そして自分の命令で発射した。事前に日本に通報があった。

しかし、失敗した。

そして、前述した通り、すぐに失敗を認めたのだが、「近く再度発射する」と公表した。金正恩はかなり怒ったようだ。「一〇〇%成功すると言っていたじゃないか。どういうことだ」と。そして、「そのことで頭がいっぱいになっていて、なかなか別の案件を上にあげることができないでいる」という情報がある。

八月二十四日、二回目の衛星の打ち上げも失敗に終わった。ただし、七月十二日、火星18ミサイルの発射訓練に成功し、七月二十七日の「戦勝」記念行事で訪朝したショイグ・ロシア国防相と大規模な武器輸出で合意したので、金正恩の機嫌が少しは直ったはずだ。水面下の交渉が軍事偵察衛星のことで交渉が停滞していたのなら、また進むだろう。

よく考えてみると岸田首相は、「私直轄のハイレベル協議を行いたい」と語った。となると相手は金正恩直轄の人間とやらなければならない。外務省局長と局長が公式にどこかで会うというのは岸田首相直轄ではない。外務大臣が間に入っている。そうではなく水面下で極秘で特使同士が会うことになるのではないか。

北朝鮮では、今も「拉致は解決した」が公式見解だ。北朝鮮の代表が日本代表と会って、それと違うことを言ったことが外に出てしまったら、その交渉に来ている北朝鮮側の人の立場がなくなる。決断したのは、あくまでも金正恩総書記だという形式をとらなければならない。そうでないと北朝鮮の社会では生きていけない。しかし、彼らは人道支援を得るために日本に接近してきたのだから、拉致について今の公式見解を維持したまま、支援を得られるとは思っていない。

トップから直接、どこまで認めてもいいかという指示があり、それを伝えに来るはずだ。だから、極秘会談でなければならない。会談したことが漏れれば、北朝鮮特使は自分の命の危険を感じ、次には出てこないかもしれない。だから、日朝交渉について全く報道がないことはある意味、いいことである可能性が高い。

私たちは秘密交渉の内容について経過説明を求めることはもちろんしない。ただ、北朝鮮工作機関と日本国内の親北朝鮮勢力が激しい政治工作を仕掛けてきている中で、岸田政権に最低限守ってもらいたいラインがある。

まず、押さえておくべきは、「唯一指導体制の北朝鮮では、金正日総書記が『間違っていた』ということは絶対に言えない。それは世襲の独裁者である正恩氏の権威も否定することになる」ということだ。

二〇〇二年九月十七日の日朝首脳会談で当時、北朝鮮のトップだった金正日総書記が日本人拉致を認め、謝罪した。だが、金正日の誤りを否定することは困難だ。そこで注目するのは「消息調査」と称して日本人拉致被害者の安否を調べた朝鮮赤十字会だ。首脳会談当日、日本側に渡された安否に関する文書も朝鮮赤十字会の名義となっていた。そこには「日本側から依頼を受けた行方不明者についての消息調査を行った結果、集計された状況を次のとおり通知する」として、横田めぐみさん＝拉致当時（十三）＝ら八人について「死亡」と記されていた。

実は、二〇〇二年以前の日本人拉致被害者に関する調査も、朝鮮赤十字会名義で結果が発表されていた。二〇〇二年の首脳会談直前の二〇〇一年十二月には「人間の自主性、人権を最も重んじることを本性とするわが国（北朝鮮）では『拉致』などあり得ず、あったこともない」と否定していた。

ずっと拉致を否定してきた朝鮮赤十字会は二〇〇二年の調査で、それ以前の調査を否定する調査結果を出している。裏交渉でこのラインまで北朝鮮が踏み込んだからこそ、二〇〇二年の首脳会談が実現した。その結果、二〇〇二年九月の首脳会談では、拉致被害者五人の生存が明らかになり、五人は翌月に帰国を果たした。ただ、「拉致したのは十三人だけ」「八人死亡」という朝鮮赤十字会の調査結果は現在に至るまで変わっていない。

その意味で、何の証拠もなく、さまざまな矛盾点が指摘される「拉致したのは十三人だけ」「八人死亡」という調査結果を覆すことは、八人を含む全ての拉致被害者を奪還するための最低ラインとなる。

北朝鮮が拉致被害者らの全面的な再調査を約束した「ストックホルム合意」（二〇一四年）の後、北朝鮮が、一九七八年に拉致された田中実さん＝拉致当時（二十八）＝と、拉致の可能性が排除できない特定失踪者の金田龍光さん＝失踪当時（二十六）＝の生存情報を日本政府に伝えてきたが、日本政府が報告を受け取らなかったということが一部メディアで報じられた。この報道をもとに、立憲民主党の一部議員らが当時の安倍晋三政権を批判したが、北朝鮮は田中さん、金田さんを生存者として出して、「八人死亡」のまま拉致問題を終わらせようとしていたから、安倍政権は拒否したのだ。

実際、首相退任後の安倍氏が私に対し、「これで（拉致問題を）終わりにしようとしているのだから、そんなものを呑めるわけがない」と話した。

北朝鮮はそれだけ、二〇〇二年の「拉致は十三人だけ」「八人死亡」の主張をかたくなに守り続けている。その誤りを事前に認めさせない限り、首脳会談が実現しても成果を得られない恐れがある。朝鮮赤十字会は二〇〇二年、過去の調査を覆して拉致被害者の生存を明かした〝実績〟がある。その観点から、赤十字会が再度調査したところ、めぐみさんたちは生きていたと新しい報告を出すことができる。それが拉致問題を打開する「突破口」として有力となる。

われわれには日朝首脳会談に向けた裏交渉の様子は分からない。分かるようでは秘密が守られていないことになるからかえって困る。だが、二〇〇二年、朝鮮赤十字会の名前で出てきた報告が間違っていたということを、北朝鮮側に認めさせることを最低ラインと認識して、日本政府には頑張って交渉してほしいのだ。

拉致問題は最後の勝負の時を迎えている。岸田首相は自分が解決するという強い意気込みを抱いており、それを私は信じている。ただ、全拉致被害者を一括で取り戻すことは難しい。しかし、険しい道かもしれないが、とにかく生きている人たちを全員、一日でも早く取り戻すことだ。

曽我ひとみさんが「いつも夜になると月や星を見る。その月や星は日本でも見えているはずだ。いつになったら日本から助けが来るのだろうかとずっと思っていました」と言っていた。曽我ひとみさんが帰ってきてから二十年、めぐみさんも恵子さんも、修一さんも八重子さんも、同じ月や星を見ているはずだ。まだ認定されていない被害者の人たちも見ている。

お父さん、お母さん、日本政府は北朝鮮が「死んだ」と言ったことを信じているから助けに来ないのだろうか。私の名前はまだ出ていない。私が北朝鮮にいるということさえも親兄弟に知らせることができずに私は死んでいくのか——。そう思って今晩、月や星を見る人が絶対にいる。

日本人を助ける。それは私たち日本人がやることではないか。

**西岡 力（にしおか つとむ）**
1956年、東京都生まれ。国際基督教大学卒業。筑波大学大学院地域研究科修了（国際学修士）。韓国・延世大学国際学科留学。外務省専門調査員として在韓日本大使館勤務。東京基督教大学教授を経て、現在、（公財）モラロジー研究所教授・歴史研究室長、麗澤大学特任教授。「北朝鮮に拉致された日本人を救出するための全国協議会（救う会）」会長。著書に『ゆすり、たかりの国家』『歴史を捏造する反日国家・韓国』（ワック）、『韓国の大統領はなぜ逮捕されるのか 北朝鮮対南工作の深い闇』（草思社）ほか多数。

**狂《くる》った隣国《りんごく》**
**金正恩《キムジョンウン》・北朝鮮《きたちょうせん》の真実《しんじつ》**

2023年９月30日　初版発行

著　者　西岡 力

発行者　鈴木 隆一

発行所　ワック株式会社
東京都千代田区五番町4-5　五番町コスモビル　〒102-0076
電話　03-5226-7622
http://web-wac.co.jp/

印刷製本　大日本印刷株式会社



ISBN978-4-89831-884-3